YSABELLA

Van Judith Visser verscheen eerder:

Tegengif
Tinseltown
Stuk
Oversteken
Trip
Time-out

JUDITH VISSER

Ysabella

Uitgegeven door Xander Uitgevers bv

Hamerstraat 3, 1021 JT Amsterdam

www.xanderuitgevers.nl

www.judithvisser.nl

ISBN 978-94-0160-001-9

NUR 305, 301

Omslagontwerp Lava Amsterdam

Omslagbeeld © Corbis/HillCreek

Binnenwerk Michiel Niesen/ZetProducties

Foto auteur © Wim Barzilay

© 2012 voor de Nederlandse taal:

Judith Visser en Xander Uitgevers bv, Amsterdam

De oorspronkelijke uitgave van *Ysabella* was

het Rotterdams Leescadeau van 2008 en werd geschreven in opdracht

van Bibliotheek Rotterdam en Gemeente Rotterdam.

Maar als elk boek een beetje licht in die duister-
nis is – en dat geloof ik, dat moet ik geloven, hoe
afgezaagd het ook is, want ik schrijf die verrekte
dingen, nietwaar? – dan is elke bibliotheek een
groot, altijd brandend vreugdevuur waar elke
dag tienduizend mensen omheen komen staan
om zich te warmen. Het is daarbinnen geen Fah-
renheit 451. Eerder Fahrenheit 4000, mensen,
want we hebben het hier niet over keukenovens,
we hebben het over kolossale stookketels van de
hersenen, roodhete smelterijen van het intellect.

Stephen King, *Lisey's verhaal* (2006)

ROTTERDAM, 2012

Het volle kopje stond voor me, de thee erin was donker. Ik staarde ernaar. De laatste keer dat ik thee had gedronken was in de wachtkamer van de kliniek, vandaag precies een week geleden. Zeven hele dagen waren verstreken, maar het voelde alsof het allemaal vanmorgen pas was gebeurd. De thee daar had anders geroken. Die kwam uit een automaat; het was lauw, onpersoonlijk drinkvocht in een wit plastic bekertje, even kil als de steriele geur die in het gebouw hing. Hier was de thee warm, en de geur kringelde zich om de hongerige mensen heen die een vrije tafel zochten. De fijne plekjes bij het raam waren allemaal al bezet.

De tafel naast mij werd in beslag genomen door een mollige vrouw die zich met een berg plastic tasjes van goedkope boetiekjes een weg door de groene tafels had gewrongen en zich puffend op een stoel had laten vallen. Ze legde de tasjes op de lege stoel tegenover haar en sloeg de menukaart open.

Ik keek weer naar mijn kopje, waarin ik met het lepeltje steeds vlugger rondjes roerde en een minidraaikolk creëerde. Dat had ik vorige week ook gedaan. Met die simpele handeling had ik het gevoel gehad de werkelijkheid op afstand te kunnen houden. Het gaf me iets te doen, en het scheidde mij van wat er in die andere kamer was gebeurd zodat de betekenis ervan nog even niet tot me doordrong. Zolang ik het bekertje in mijn trillende handen hield en erop lette dat ik er niet te hard in kneep, had ik alles onder controle. Toen de thee uiteindelijk koud was geworden, had ik het opgedronken. Koude, bittere thee, die geen troost bood zoals de warmere versie dat kon. Ik verdiende niet beter. Het lege bekertje had ik verfrommeld, en met een zacht plofje was het in de zwarte prullenbak beland die naast de automaat stond. Daarna was ik weggelopen, mijn benen wankel van schuld. Toen ik nog een keer omkeek nam er op de stoel waar ik had gezeten een andere vrouw plaats. Jong, een meisje nog, en net als ik was ze alleen gekomen. Het merendeel van de vrouwen in de wachtkamer was alleen, ook al werd er van tevoren aangeraden om iemand mee te nemen: je moeder, een goede vriendin of zelfs je vriend als je die had en hij je steunde. Ik had niet eens aan iemand verteld wat ik ging doen. Zolang je de enige was die wist dat er iets was gebeurd, kon je doen alsof het eigenlijk nooit had plaatsgevonden. De flashbacks die me 's nachts in mijn dromen kwelden, en het lege gevoel dat van binnenuit met grote happen aan mijn geweten vrat, bestreed ik met pijnstillers.

'Je moet het tijd geven,' had de assistente in de kliniek gezegd, met een routine die haar in staat stelde om gelijktijdig een envelop dicht te plakken en te adresseren. Ze glimlachte bemoedigend. 'Het is niet niets.'

In het foldertje dat ik in mijn handen kreeg gedrukt stond dat ik een 'rouwproces' zou doormaken. Dat ik zou gaan rouwen om mijn kind, zoals iedere moeder zou doen. De wijze waarop het werd gebracht verleende de theorie geloofwaardigheid. Maar—

De ringtone van mijn mobiel schalde uit mijn tas die naast me op de grond stond, en meteen was ik weer terug in Dik T. Het rinkelende geluid sneed met hoge tonen door het geroezemoes om me heen en in een reflex schoot mijn arm opzij waardoor ik bijna het kopje thee omverstootte. De vrouw aan het tafeltje naast me, die een dik stuk appeltaart aan het verorberen was, keek geïrriteerd mijn kant op. Snel bukte ik en viste mijn telefoon uit mijn tas. Op het display stond een geheim nummer.

'Jill Valens,' zei ik.

'*Waar ben je?*'

Bij het horen van zijn stem overwoog ik mijn telefoon meteen weer dicht te klappen. Toen zuchtte ik. 'Wat wil je nu weer?'

'Ik wil weten waar je bent! Ben je alleen?'

'Niet dat het je iets aangaat,' zei ik, 'maar ik zit op Sam te wachten. Ik heb met haar afgesproken om te lunchen.'

'Waar?'

'Helmut, ik ga je ophangen. Ik heb hier geen zin

meer in. Zoek maar fijn iemand anders om te stalken, oké?'

'Waarom doe je zo hatelijk? Vannacht heb ik over je gedroomd, Jill. Dat alles nog goed was. En ik wou dat ik nooit wakker was geworden! Ben je echt vergeten hoe mooi het was wat wij hadden?'

'Als je me nu niet met rust laat, dan ga ik naar de politie en doe ik alsnog aangifte. Volgens Samantha is het strafbaar wat jij hebt gedaan.'

'Maar Jill, wacht! Ik wil alleen maar even weten wat je aanhebt vandaag. Is het een rokje? En zijn er mannen daar? Het klinkt zo druk. *Jill*—'

'Dag, Helmut.' Ik stopte mijn telefoon weer in mijn tas, en toen ik opkeek stond Samantha voor me, met rode wangen van het haasten.

'Hoi!'

'Hey,' mompelde ik.

Ze ging tegenover me zitten en dropte haar tas op de houten stoel naast haar. 'Wat is er? Zo laat ben ik toch niet?'

'Helmut belde net weer. Ik word er gek van.'

'Wat? Laat hij je nog steeds niet met rust?'

Ik schudde mijn hoofd. 'Hij belt me om de haverklap om te vragen waar ik ben en wat ik aan het doen ben. En met wie, natuurlijk.'

'Gelukkig weet hij niet waar je logeert. Je moet gewoon niet meer opnemen!'

'Maar hij belt anoniem.'

'Nou en? Dan neem je vanaf nu onderdrukte

nummers niet meer aan. Als het iemand anders is en het is belangrijk, dan spreken ze wel een bericht in. Het is de enige manier, Jill, anders kom je nooit van die freak af!'

Ik knikte. 'Je hebt gelijk.'

Samantha sloeg de menukaart van Dik T open en slaakte een zucht. 'Ik heb honger. Wat een ochtend was dit: mijn secretaresse is ziek en haar collegaatje is met vakantie. Ik ben nog nooit van mijn leven zo aan mijn pauze toe geweest!'

Gretig nam ze de lijst met lunchgerechten door. Samantha werkte als juriste bij een advocatenkantoor op de Meent. Een drukke baan, maar omdat ze midden in het centrum werkte, hadden we er een gewoonte van gemaakt om minstens eens per week samen te lunchen, en dat deden we altijd hier, in het café-restaurant in het gebouw van de Centrale Bibliotheek.

'Schiet je al een beetje op met schrijven?' vroeg Samantha toen we klaar waren met eten. Ze veegde met een servet wat kruimels van haar lippen. 'Over een maand moet je manuscript ingeleverd zijn, toch?'

Ik zuchtte en staarde naar mijn bestek.

'Is het zo erg?' Ze vouwde haar servet tot een prop en keek me meelevend aan.

'Helaas wel. Ik heb nog niet eens een eerste versie! Er is gewoon zo veel gebeurd de laatste tijd dat mijn inspiratie compleet op de vlucht is geslagen. Mijn leven is veranderd in één groot writer's block.'

Sam knikte. 'Het lijkt me inderdaad heel lastig om een boek te schrijven wanneer je er met je hoofd niet bij bent.'

'Maar het moet wel af. Het kan niet worden uitgesteld, want het wordt de eerste uitgave van mijn nieuwe uitgever, en de bedoeling is dat het verschijnt in de Maand van het Spannende Boek.'

'Dat is in juni, toch?' Ze floot zachtjes tussen haar tanden. 'Dan mag je inderdaad wel opschieten.'

'Precies. Maar het lukt me gewoon niet. Iedere dag zit ik naar mijn laptop te staren zonder dat er ook maar iets uit mijn vingers komt. Het is een tragische toestand! Ik doe van alles behalve schrijven.'

'Het is logisch dat je moeite hebt met concentreren, na wat er is gebeurd.'

Ik gromde.

'Serieus, Jill. Helmut en jij zijn vier jaar bij elkaar geweest. Zo'n breuk verwerk je niet zomaar van de ene op de andere dag.'

Zelfs Samantha, mijn beste vriendin, had geen idee van wat er echt aan de hand was: dat de werkelijke oorzaak van mijn concentratiestoornis ergens in een abortuskliniek in Rotterdam-Zuid was achtergebleven. Als het daar nog lag tenminste. Ik had geen idee wat er gebeurde met een geaborteerde foetus. Ooit had ik ergens gelezen dat ze klinisch in leven werden gehouden voor onderzoeken, of dat ze werden gebruikt voor vaccinaties of zelfs gezichts-crèmes. Maar ik had er in de kliniek opzettelijk niet naar gevraagd. Want stel dat het waar was, die verhalen. Het idee alleen al was te schokkend om bij stil te staan, pijnlijker dan de waarheid al was.

'Daar heb ik gelijk in, toch?' vroeg Sam. Ze keek me afwachtend aan.

'Ik ben blij dat ik van hem af ben,' zei ik slechts.

'Op iedere relatie die kapot gaat volgt een moeilijk proces,' hield ze vol. 'Of je er nu blij om bent dat het voorbij is of niet. En het is helemaal lastig met iemand als Helmut, die de breuk niet kan accepteren.'

'Klopt allemaal, maar de realiteit blijft dat ik nog maar een maand de tijd heb om dat boek te schrijven en ik dus niet bepaald in de luxepositie verkeer om eerst op mijn gemak met melk, koekjes en een therapeut mijn verbroken relatie te verwerken en daarna gezellig af te wachten tot ik weer eens een keer wakker word en de inspiratie zich vanzelf aandient.'

Samantha keek me streng aan. 'Straks wanneer je thuiskomt ga je gewoon keihard aan de slag! Geen afleiding, geen uitvluchten! Gewoon dóén!'

Thuis. Ik liet de echo van het woord naklinken in mijn hoofd. 'Ik had echt nooit gedacht dat Eddy's flat mijn "thuis" zou worden,' zei ik, 'ook al is het maar voor tijdelijk.'

'Nee, wie wel? Maar het is toch heel fijn dat je bij hem terecht kunt. Hij heeft tenminste een logeerkamer, dat is net iets comfortabeler dan wekenlang bij mij op de bank pitten.'

'Absoluut. Eddy is een schat.'

'Hoe bevalt het eigenlijk om bij hem te wonen?' Ze keek nieuwsgierig. 'Gedraagt hij zich een beetje?'

'Hij doet zijn best,' grinnikte ik. 'Maar hij blijft natuurlijk een man. Het begrip "schoonmaken" is hem vreemd, en door het hele huis zwerven afstandsbedieningen.'

'Gelukkig zit hij in ieder geval niet meer in die wilde periode waarin hij iedere nacht een andere scharrel mee naar huis nam. Echt, hoe hij aan al die jongens kwam...'

Ik haalde mijn schouders op. 'Gay bars, volgens mij. Er zitten er genoeg hier in Rotterdam.'

'Deze week krijg je de sleutel van je flat, toch?' Ze schudde haar hoofd tegen de serveerster, die kwam informeren of we nog iets wilden drinken. Het meisje legde het bonnetje op een schoteltje tussen ons in, en liep weer weg.

'Ja. Ben blij dat ik dat zo snel heb kunnen regelen.'

'En dan kun je écht met je nieuwe leven beginnen.'

'Ik kan niet wachten. Misschien dat het schrijven dan ook beter gaat.'

'Het wordt een nieuwe start. Nieuw appartement, nieuwe uitgever, het komt allemaal goed, let maar op!'

'Ik hoop het.'

'Zolang je er maar voor zorgt dat Helmut er niet achterkomt wat je adres is. Voor je het weet sluipt hij bij je naar binnen wanneer je er niet bent en levert hij je precies dezelfde streek. Ik kan echt nog steeds niet geloven dat hij dat zo lang heeft kunnen doen voordat je het doorkreeg.'

Ik trok een gezicht. 'Eigenlijk wil ik daar niet meer aan denken.'

'Je hebt gelijk, wees maar gewoon blij dat je van hem af bent. En ook dat jullie geen kinderen hebben, dat had het allemaal nog veel erger gemaakt, want dan zou je voor eeuwig aan hem verbonden zijn gebleven. Dat was pas echt een ramp.'

De steek in mijn buik kwam met zo'n hevigheid dat ik een kreet niet kon binnenhouden. Onder de tafel balde ik mijn handen tot vuisten.

'Jill!' riep Samantha geschrokken. 'Gaat het?'

'Buikpijn,' mompelde ik. 'Menstruatiekrampen. Je kent het wel.'

Ze knikte. 'Vreselijk irritant is dat. Zelf ben ik over twee dagen weer aan de beurt.'

In mijn tas graaide ik naar de strip met pijnstillers.

* * *

Nadat Samantha spijtig op haar horloge had gekeken en had geconstateerd dat ze toch echt terug moest naar haar werk, liep ze Dik T uit en stapte ik de grote aangrenzende bibliotheek binnen. Zomaar, gewoon om er even te zijn. Het was altijd prettig om rond te lopen en op te gaan in de sfeer. Misschien zouden de krampen in mijn buik minder worden als het me lukte om mijn hoofd te kalmeren. Het was in ieder geval de perfecte plek om tot rust te komen.

Menstruatiekrampen. Het was voor het eerst dat ik tegen Samantha had gelogen. De steken hadden helemaal niets met mijn menstruatie te maken; ik besefte heel goed dat mijn lichaam schokte en weende om wat er vorige week zo wreed uit was weggerukt. De pijnlijke samentrekkingen die ik voelde waren de zoekende armen van mijn baarmoeder, verlangend naar de omhelzing met het kleine wezentje dat ze eerder nog zo teder had gewiegd.

Mijn schoot was nu leeg en huilde rode tranen.

In de grote hal van de bibliotheek waren twee kleuters, een jongen en een meisje, met elkaar aan het spelen bij het grote schaakspel op de vloer. Ze sprongen achter elkaar aan en dansten om de schaakstukken heen, die nauwelijks kleiner waren dan zij. Bij de receptiebalie stond een rij wachtenden, en een groepje meiden hing rond in het discotheekgedeelte. Ze lachten en praatten hard, hun schelle stemmen kwetterden als grasparkieten in een volière.

Ik liet de drukte van de begane grond achter me en nam de roltrap naar boven.

Ondanks alles glimlachte ik. Sinds de eerste keer dat ik hier was binnengestapt had de Centrale Bibliotheek van Rotterdam mij het gevoel gegeven dat ik er thuishoorde. En het had iets prettigs, dat een gebouw door de jaren heen hetzelfde bleef terwijl de rest van de wereld voortdurend veranderde. Dit toevluchtsoord was stabiel, als een rots in de zee die zich niets aantrok van de wilde stroming die hem probeerde mee te sleuren of de onstuimige golven die er onafgebroken tegenaan sloegen. Er waren door de jaren heen dan wel steeds verbouwingen en herinrichtingen geweest, maar de atmosfeer was precies hetzelfde als toen ik vijftien was en dit mijn favoriete plek was geweest om spijbelend mijn middagen door te brengen. Urenlang had ik mezelf hier tien jaar geleden weten te vermaken op de verschillende afdelingen, waar ik had gebladerd door de biografieën van mensen die ik interessant vond en waar ik had gelezen over onderwerpen die me fascineerden. Soms was ik op een van de comfortabele fauteuils neergestreken, waar ik met mijn ogen dicht genoot van de reep chocolade die mijn moeder in mijn schooltas had gestopt. Ik voelde me geen seconde schuldig over het feit dat de rest van de klas braaf in de schoolbanken zat en ik niet. Hier leerde ik over onderwerpen die ik zelf interessant vond, op een plek die veel aangenamer was om te verkeren dan school. Het verplichte aspect van het voortgezet onderwijs, waar leerlingen elke dag opnieuw tegen wil en dank in een benauwd lokaal werden gepropt om allemaal uit dezelfde boeken dezelfde stof te leren en waar ze les kregen van steeds weer dezelfde leraren... Lesmethodes voor de massa die iedereen dezelfde kennis bijbrachten zonder oog voor het individu. Dezelfde vakken, dezelfde toetsen, dezelfde examens. Alsof iedereen identiek was.

In de bibliotheek daarentegen had ik mensen van alle soorten en leeftijden gezien, mannen en vrouwen en jongens en meisjes die zich hier net zo thuis voelden als ik. In het hoge gebouw waar de zon naar binnen scheen om de duizenden boeken met een gouden gloed te laten glanzen op hun planken en waar op andere dagen zware regen tegen de grote ramen kon spatten, zodat je je binnen veilig en beschut voelde. De Centrale Bibliotheek was een retraite en vormde in het drukke stadscentrum een oase van rust, waar de geur van papier en de aanwezigheid van kennis in de lucht hing, een lucht die ik destijds gretig had ingeademd. Ik had mijn longen ermee gevuld terwijl mijn klasgenootjes aan de andere kant van de stad aan hun tafel zaten en zich in een stoffig lokaal met vogelpoep op de ramen bezighielden met de stelling van Pythagoras.

Ik was op de eerste verdieping aangekomen, waar ik via de afdeling met kranten en tijdschriften naar de volgende roltrap wandelde. Op de tweede verdieping merkte ik dat het drukkende gevoel in mijn hoofd afnam. Het was een goed idee geweest om hier even binnen te stappen. Voor een schrijver was een bibliotheek een stimulans waar geen writer's block tegen bestand was. Dit was mijn wereld. Bij Eddy thuis, in het portiekflatje waar boven de bank een grote gipsen penis hing en de muren waren versierd met reusachtige schilderijen van naakte Griekse goden, bleven de ideeën weg. Het was een verademing om hier te zijn en ik kon bijna voelen hoe de inspiratie mijn hoofd weer in zweefde. Plannen voor het nieuwe boek nestelden zich voorzichtig in mijn hersenen. Het werkte, het werkte echt. Misschien kon ik vanmiddag eindelijk—

'Niet doen!'

Met een ruk draaide ik me om in de richting van de hoge meisjesstem.

'Kevin! Doe nou niet zo stom, geef terug!'

Een jongen en een meisje, beiden zo rond de zestien, zaten samen aan een ronde tafel. Twee rugtassen lagen tussen hen in, opengeslagen schoolboeken en een etui waren over de tafel verspreid.

De jongen had een roze mobieltje in zijn handen en hield dit omhoog. 'Ik zweer het,' zei hij geestdriftig, 'ik zou eigenlijk nu naar boven moeten gaan en hem vermoorden!'

Ik bleef staan, mijn blik op het jonge stelletje.

'Geef mijn telefoon terug,' zei het meisje zachter. Ze stak haar hand uit naar het mobieltje. 'Ik kan er ook niets aan doen dat Jurgen mij dat soort sms'jes stuurt.'

'Maar ík wel! Morgen op school ga ik hem zien en dan kan hij lachen. Ik zal hem eens laten voelen wat er gebeurt met zielige sukkeltjes die denken dat ze stoer zijn.'

'Ik zal morgen zelf wel met hem praten,' probeerde het meisje.

De jongen lachte sardonisch. Hij legde de telefoon op tafel. 'Ja, natuurlijk. Dat is wat je wilt, of niet? Dan heb je meteen een goede smoes om naar hem toe te gaan.' Hij sloeg met een klap zijn boeken dicht. 'Wat ben ik stom geweest dat ik je vertrouwde, terwijl jij al die tijd gewoon Jurgens geheime slet was.'

Het meisje keek geschokt. '*Wat?!* Waar slaat dat nou weer op? Wat is er in godsnaam met je aan de hand ineens? Zo ken ik je helemaal niet! Je weet net zo goed als ik dat—'

'Wat maakt het jou eigenlijk nog uit?' De jongen stond op. 'Jij hebt nu toch Jurgen? Ga maar, ren maar snel naar boven! Misschien zit hij er nog en is

er een studiecel vrij, dan kunnen jullie lekker ongestoord samen zijn.'

'Ik wíl helemaal niet met Jurgen samen zijn, Kevin! Ik hou van jóú! Waarom—'

'Nee. Hou maar op, Rebecca, ik weet genoeg.'

'Maar waar gáát dit nou over? Waarom doe je opeens zo idioot?'

De jongen gromde alleen maar. Hij smeet de telefoon op tafel en met wilde gebaren propte hij twee
boeken in zijn rugzak, ritste de tas dicht en hing
hem over zijn schouder. Toen ging hij er met grote
stappen vandoor. Het meisje bleef achter en keek
hem na met ogen waarin ongeloof plaatsmaakte
voor verslagenheid. Haar mond trilde en ze sloeg
haar handen voor haar gezicht. Haar schouders
schokten.

In een impuls liep ik op haar af. Ze had haar hoofd
gebogen, en pas toen ik naast haar ging zitten, op de
stoel die nog warm was van haar vriend, keek ze op.
Haar gezicht was rood, zwarte mascara was doorgelopen over haar wangen.

'Gaat het een beetje?' vroeg ik zachtjes. 'Ik zag
toevallig wat er net gebeurde.'

Het meisje snufte. 'Ik begrijp er niets van,' zei ze
met dikke stem. Ze wreef met haar hand langs haar
neus en knipperde een traan weg. 'Zo heb ik hem
echt nog nooit meegemaakt.'

'Hij leek behoorlijk overstuur.'

'Ja, en om niets! Het slaat echt helemaal nergens

op. Heel de ochtend op school was alles gewoon leuk en gezellig, maar vanaf het moment dat we de bieb in liepen deed hij ineens raar. Van het ene op het andere moment! Hoe kan dat nou?' Bij die laatste woorden brak haar stem.

Ik sloeg mijn arm om haar heen. 'Laat hem maar even uitrazen,' adviseerde ik. 'Zo gaat het vaak met mannen, joh. Je moet hem gewoon even lekker stoom laten afblazen en dan komt hij straks vanzelf met hangende pootjes en heel veel spijt naar je terug, je zult het zien.'

Met haar wijsvinger veegde ze de natte mascara van haar gezicht. Ze keek me aan alsof ze me nu pas goed zag en haar ogen werden groot. 'Hé, ik ken jou,' stelde ze verbaasd vast. 'Jij bent Jill Valens!'

Ik knikte.

Haar gezicht klaarde op. 'Ik heb mijn mondeling gedaan over *Tien keer rond het bed*. Ik vind je boeken echt geweldig!'

'Dat is leuk om te horen,' glimlachte ik.

'Ik ben trouwens Rebecca.' Ze vloekte en sloeg met haar vlakke hand op tafel. 'Shit! Normaal gesproken zou ik het zó vet hebben gevonden om jou te ontmoeten, het zou mijn dag top hebben gemaakt. Wist je dat ik samen met een paar vriendinnen uit mijn klas een keer aan onze leraar Nederlands heb gevraagd of hij kon regelen dat jij bij ons op school zou langskomen? Maar dat is toen helaas niet gelukt.'

'Ik zal eens een hartig woordje met die leraar van jou gaan wisselen,' zei ik.

Rebecca giechelde. Toen betrok haar gezicht weer. 'Maar weet je, ik kan nu gewoon alleen maar aan Kevin denken. Ik snap echt niet waarom hij ineens zo gek deed, hij leek wel een totaal ander persoon... Om zo te flippen alleen maar vanwege een stomme sms. Normaal gesproken zou hij er juist om hebben gelachen.'

'Wat was er dan met die sms?'

Ze haalde haar schouders op. 'Kevin en ik gaan vaak samen naar de bieb om ons huiswerk te maken. Dat gaat beter dan als we het thuis doen, en zo zijn we tenminste bij elkaar in plaats van dat we allebei op onze kamer aan het leren zijn. Hij kan niet bij mij thuis komen, want ik wil nog eventjes niet dat mijn ouders weten dat ik verkering heb, dus de bieb is ideaal. En normaal gesproken gaan we altijd naar boven, naar de zesde, want daar is het heel rustig. Maar vandaag zat Jurgen daar ook ineens, een jongen uit 4c aan wie Kevin een hekel heeft omdat ik er in de tweede tijdens een klassenavond een keer een beetje mee heb gezoend. Zó suf. Maar goed, hij wou daar om die reden dus niet meer gaan zitten en zodoende kwamen we hier terecht.' Ze haalde diep adem en kneep haar ogen samen bij de herinnering. 'En toen stuurde Jurgen mij ineens dat sms'je, en vervolgens flipte Kevin helemaal compleet uit elkaar. Hij heeft zulke gemene dingen gezegd...' Weer begon haar mond te beven, maar ze stak haar kin in de lucht en wreef haar ogen droog. 'Ik weet zeker dat hij het niet meent,' zei ze. Ze rechtte haar schouders en streek haar blonde haar naar achteren. 'Want we houden van elkaar, weet je. Er is iets anders aan de hand, dat moet wel. En ik wil weten wat.' Deze gedachte liet ze even op zich inwerken. Toen sprong ze zo onverwachts op dat een medewerker van de beveiligingsdienst die zijn ronde liep abrupt stilhield en naar ons keek. 'Ik moet naar hem toe!' riep ze. 'Er is iets mis, ik voel het!'

Ook ik stond op. 'Kun je hem niet beter eerst even bellen? Hij kan inmiddels al overal zijn.'

De beveiligingsmedewerker liep weer door.

Rebecca knikte. 'Ja, dat is een goed idee, daar heb je gelijk in!'

Ze pakte haar telefoon en toetste met een gespannen gezicht zijn nummer in. Ze hield het mobieltje tegen haar oor, maar klapte hem toen met een zucht dicht. 'Hij neemt niet op. Shit!'

'Misschien hoort hij hem niet,' opperde ik.

'Nee, dat is het niet.' Haar stem was weer hoog. 'Ik moet echt naar hem toe! Meteen!'

Ze greep haar tas en rende in de voetsporen van haar vriend naar de roltrap.

Snel liep ik achter haar aan en volgde haar langs de verdiepingen, de roltrappen af, tot ik haar in een flits beneden door de draaideur naar buiten zag stormen.

Ook ik haastte me naar de uitgang en botste daar bijna op tegen een bejaard echtpaar dat naar binnen wilde. Net op tijd ging ik opzij, en terwijl de twee mensen naar binnen schuifelden zag ik nog net hoe het blonde hoofd van Rebecca opging in de menigte.

De oude dame voor wie ik opzij was gestapt, glimlachte vriendelijk naar me. Haar arm was innig verstrengeld met die van haar man en ze bewogen zich voort in een rustig tempo dat leek uit te drukken dat ze zich in hun leven al genoeg hadden gehaast.

Ik tuurde naar buiten om te zien of ik Rebecca nog zag, mijn blik gleed over de vele hoofden, maar ze was weg. Ook haar vriend was niet te zien. Waarschijnlijk was alles gewoon weer oké: ze hadden elkaar buiten gevonden en waren het ergens gepassioneerd aan het goedmaken. Een traan en een lach lagen dicht bij elkaar als je zestien bent, de ruzie zou ongetwijfeld snel zijn vergeten.

En voor mij was het tijd om naar huis te gaan. Naar huis en aan het werk. Nu ik me eindelijk weer in staat voelde om wat woorden op papier te krijgen, kon ik daar maar beter meteen gebruik van maken.

Maar juist toen ik de draaideur door wilde lopen zag ik haar. Ze was alleen en stond een paar meter bij de ingang van de bieb vandaan. Ze keek in de richting van de Hoogstraat, haar bewegingloze gestalte vormde een contrast met de bedrijvigheid van de markt. Haar blonde haar gaf licht in de zon.

'Het is niet nodig dat je naar haar toegaat,' klonk plotseling een stem naast me. 'Ze komt zo terug.'

Verbaasd keek ik opzij. Naast me stond een oude man met grijs haar en wijze, vriendelijke ogen. Hij was even lang als ik.

'Hoort u bij haar?' vroeg ik.

De man schudde zijn hoofd. 'Ik kom je vertellen dat het te laat is. Het is al begonnen. De jongen zal sterven en het meisje daarna.'

Ik staarde hem aan en wist dat ik er niet op moest ingaan, deze man was duidelijk in de war. Toch zei ik: 'Maar net zei u nog dat ze zo terugkomt.'

Hij knikte. 'Dat klopt. En daarna zal ze sterven.'

Ik deed een stap bij hem vandaan.

'Het meisje zal sterven,' zei hij weer, ernstig.

'Wat wilt u daarmee zeggen? Dat u van plan bent om haar iets aan te doen? Want dan kunt u beter even iets harder praten, dan hoort de beveiliging het tenminste ook meteen.' Ik wierp een blik op de balie bij de ingang.

De oude man schudde zijn hoofd. 'Die kunnen haar niet helpen, kind. En ik ook niet. Maar wat ik wel kan is aan jou uitleggen wat er aan de hand is, en dat zal ik graag doen.'

Rebecca stond nog steeds op dezelfde plek, eenzaam en in gedachten verzonken.

'Dat hoeft niet,' zei ik. Zonder de verwarde man verder nog aan te kijken liep ik de deur door, de bibliotheek uit.

* * *

De zon prikte in mijn ogen en het duurde even voordat ik Rebecca weer zag. Maar daar stond ze, nog
steeds roerloos als een pion. Mensen met plastic
tasjes en zakken patat in de hand slenterden langs
haar heen. Ergens naast mij rinkelde een fietsbel,
achter me probeerde een schorre *Straatkrant*-ver-
koper voorbijgangers over te halen om zijn blaadje
te kopen, een paar kinderen gilden naar elkaar en
het aanprijzende geroep van de bloemenman schalde boven het scala aan stemmen uit. Naast me hield
een jonge vrouw een telefoon tegen haar oor gedrukt, haar andere hand rustte op een buggy waar
een klein kind in zat. Ze was druk in gesprek met de
persoon aan de andere kant van de lijn en hield haar
hoofd afgewend van de herrie om haar heen. Het
kindje, een getint jongetje met wilde zwarte krullen,
verloor zijn speen, maar dat zag ze niet. Het ding
gleed uit zijn mond en belandde eerst tussen zijn
beentjes en vervolgens naast de buggy op de grond.
Meteen zette het jongetje het op een brullen, maar
zijn moeder sloeg er geen acht op, ging slechts harder praten en wiegde de kinderwagen zachtjes heen
en weer zonder naar haar zoontje te kijken.

Ik bukte en raapte de speen op. Hij hield op met
huilen en keek me met grote ogen aan. De mollige wangen van het kindje waren nat en op zijn
bovenlip lag snot. Ik knipoogde naar hem en veeg-

de de speen af aan de mouw van mijn vest. Toen gaf ik hem terug. Enthousiast pakte hij hem aan en hij nam me nieuwsgierig op. Hij lachte opgetogen, en ik wilde teruglachen, echt, ik wilde het. En ik probeerde het ook. Maar het lukte niet. Het ging niet. Ik kon alleen nog maar als aan de grond genageld staren naar het vrolijke gezichtje dat zo stralend naar me opkeek en dat een confronterende dolk was geworden die mij raakte in de verlaten plek vanbinnen. Ik trok mijn handen terug alsof ik me had verbrand. Het jongetje schrok van de plotselinge beweging en barstte weer in tranen uit, harde snikken met angst erin. De moeder, die klaar was met telefoneren en zich eindelijk leek te herinneren dat ze een kind had, boog zich over hem heen en streek kalmerend door het haar van haar zoontje. Toen keek ze van hem naar mij en weer terug, met een vragende uitdrukking op haar gezicht.

'Hij had zijn speen laten vallen.' Ik klonk schor.

De vrouw reageerde niet. Ze richtte zich weer tot haar kindje, sussend fluisterde ze troostende woordjes in zijn oor en ze droogde zijn tranen. Haar brede rug onttrok hem aan mijn blikveld. Toen kwam de moeder overeind en duwde de buggy voor zich uit terwijl ze wegliep.

Langzaam begon mijn bloed weer te stromen en vond mijn hart zijn ritme terug. Het was nergens voor nodig om zo emotioneel te raken, alleen maar omdat dit kindje wél een kans had gekregen om te leven. Deze moeder was geen moordenaar, haar kindje leefde nog en daar mocht ze blij om zijn. En eigenlijk zou ook ik blij voor haar moeten zijn: ik moest andere mensen hun geluk gunnen. *Gefeliciteerd! Strikje erom en veel plezier ermee.* Maar moest ik er dan maar ook meteen tegen kunnen om kleine handjes te zien en de geur van Zwitsal te ruiken? Mijn eigen baby was dood, en—

Dood.

Plotseling keerde de opmerking van die vreemde oude man die bij de ingang van de bieb had gestaan terug. *De jongen zal sterven en het meisje ook.* Mijn god, hoe kon iemand zoiets zeggen? Die man was ernstig gestoord, dat moest wel. Hij zag er misschien normaal en vriendelijk uit, maar dat zei niets: de meeste mentale afwijkingen kon je niet van iemands uiterlijk aflezen. Hij was gek. Of dronken. Of zwaar dement. Of alle drie tegelijk, in Rotterdam was alles mogelijk.

Ik keek naar de plek waar ik Rebecca had zien staan, maar ze was er niet meer. Een groepje Turkse vrouwen stond er nu en hun kleurrijke hoofddoeken glansden in de zon. Een van de vrouwen haalde een lap donkergroene stof uit een wit tasje tevoorschijn en liet dit aan de andere vrouwen zien, die het materiaal tussen hun vingers namen, eroverheen streken en waarderend knikten.

Plotseling schoot er achter hen een schim voorbij.

Rebecca.

Ze rende hard, haar blonde haren wapperden achter haar aan.

Ik zette meteen de achtervolging in. Terwijl ik links en rechts mensen ontweek, probeerde ik haar bij te houden en vooral niet uit het zicht te verliezen terwijl ze in de richting van de Blaak holde. Ondanks de steken in mijn buik bleef ik doorrennen en ik zag al snel wat er aan de hand was: Rebecca zelf rende ook achter iemand aan. Het was Kevin die voor haar uit rende, steeds harder. Af en toe keek hij om. Hij zag zijn vriendin, maar hij stopte niet. Groepjes voorbijgangers stoven uiteen bij het zien van de jongen die in zo'n razende vaart kwam aangerend. Sommige mensen keken hem verbaasd en hoofdschuddend na. Meteen werden ze weer opgeschrikt doordat Rebecca voorbij kwam snellen, en tot slot schoot ik zelf langs hen heen. Ik rende zo hard ik kon, maar door de pijn in mijn buik lag mijn tempo toch een stuk lager dan dat van Kevin en Rebecca. Zweet broeide onder het lange haar in mijn nek en rolde langs mijn rug naar beneden. Bij iedere meter die ik sprintte werd de afstand tussen Rebecca en mij groter. Ik zag haar de Potloodflat passeren en in de richting van de Kubuswoningen rennen, en ik minderde vaart. Misschien moest ik maar stoppen. Want hoe lang zouden ze nog blijven doorrennen? Zolang die Kevin niet stilhield zou Rebecca ook niet ophouden, en waarom volgde ik haar eigenlijk? Ik kende het meisje niet eens. In de bieb had ik op de een of andere manier het gevoel gekregen dat ze hulp nodig had, en ze had dankbaar geleken toen ik bij haar was gaan zitten, maar nu...

Er kwam luid getoeter van ergens voor me, en er werd hard gegild. Er klonk een zware schreeuw, gevolgd door piepende banden.

Ik rende door, maar ineens stond ik stil.

Iedereen stond stil.

De hele wereld stond stil.

Rebecca gilde, een geluid dat zo hoog en scherp was dat het door mijn oren sneed, mijn hoofd deed vlammen en daarna de hele Blaak overvloog. Haar kreet ging over in de geschokte uitroepen van de mensen om ons heen, mensen die naar de weg keken, grote ogen hadden gekregen en een hand voor de mond sloegen. Een oude dame met zilverkleurig haar greep zich wankelend vast aan een prullenbak. Met open mond staarde ze naar het ongeluk. De vliegen die zich rond de afvalbak hadden verzameld hingen om haar heen, maar ze merkte het niet. Ze schudde haar hoofd en ik zag het in slow motion, zag alles in slow motion, alle beelden werden door mijn hersenen vertraagd afgespeeld. De oude vrouw, de andere omstanders, Rebecca. Alles gebeurde in een wazige droom.

Op de weg voor ons was een donkergroene auto tot stilstand gekomen en stond nu scheef midden op de weg. Ook de auto's erachter stonden stil. Niemand reed, liep of rende meer. Niemand zei wat, niemand haalde zelfs maar adem. De aarde was verlamd. En al duurde de stilte waarschijnlijk nog geen fractie van een seconde, we waren als bevroren, allemaal. Opgesloten en vastgezogen in de tijd.

Toen knalde het moment open en een oorverdovende chaos brak los.

'Er is iemand aangereden!'

'Een jongen! Lieve hemel, die arme jongen is onder een auto gekomen!'

'Zag je dat? Hij werd zo de lucht in geslingerd!'

'Vlug, bel 112! Bel 112! Direct!'

Verschillende mensen grepen naar hun telefoon en belden. Hun lippen bewogen snel, hun gezichten waren wit van schrik en de spieren in hun nek stonden gespannen. Boven, achter de ramen van de Kubuswoningen, werden gordijnen opengeschoven en verschenen gezichten waarop nieuwsgierigheid vrijwel meteen plaatsmaakte voor ontsteltenis.

Rebecca stond roerloos. Ik liep naar haar toe en ging zwijgend naast haar staan, legde mijn hand op haar arm, maar ze reageerde niet.

De automobilist door wie Kevin was aangereden, was uit zijn auto gesprongen. Zijn mond beefde. Hij was een jongen nog, amper twintig, en hij droeg een petje van Feyenoord. 'Hij stak zomaar over,' verklaarde hij met trillende stem, tegen niemand en iedereen. Zijn woorden waren nauwelijks hoorbaar in de commotie. 'Ik zag hem te laat. Hij kwam ineens de weg op rennen, als een wilde! Je moet me geloven. Ik kon hem niet ontwijken!'

Twee mannen in zakenpak waren naar Kevin toe gelopen en bogen zich over hem heen, tot er een oudere man uit een van de andere auto's kwam rennen en iedereen resoluut opzij duwde. Zijn portier had hij open laten staan. Hij had een leren koffer in zijn hand en hij klonk kordaat toen hij luid verkondigde: 'Ik ben arts. Maak ruimte, mensen.'

Kevin lag voor de auto op de grond, zijn benen in een onnatuurlijke knik. Zijn hoofd lag scheef op zijn nek – of leek dat maar zo? – en zijn ogen waren wijd open. Zijn blik was leeg. De arts hield zijn hoofd dicht bij Kevins gezicht om te voelen of hij nog ademde.

Om ons heen werd het groepje nieuwsgierigen steeds groter. 'Wat is er gebeurd?' hoorde ik. 'Is er al een ambulance gebeld?'

Het stoplicht ging door alsof er niets aan de hand was. Rood werd na een tijdje groen en sprong dan weer terug. Het had niet in de gaten dat er iets verschrikkelijks was gebeurd, dat er achter me een vrouw begon te huilen en er in de verte al sirenes te horen waren.

Ik wendde me tot Rebecca. 'Wat...'

Maar ze keek me niet aan. Zonder iets te zeggen draaide ze zich om en liep langs me heen, weg, haar blik naar de grond gericht. Met een bleek gezicht maar met droge ogen verliet ze de menigte, het ongeluk en Kevin. En terwijl het geluid van de loeiende ambulance steeds dichterbij kwam, liep ik voor de derde keer achter haar aan.

'Rebecca!'

Ze reageerde niet. Met grote, langzame passen liep ze door. Toen ik eindelijk naast haar liep, pakte ik haar arm. 'Rebecca.'

Haar ogen bleven op de grond gericht.

Ik gaf een ruk aan haar arm. 'Hé! Hoor je me niet? Waar ga je naartoe?'

Zonder wat te zeggen trok ze haar arm los. Als in een trance liep ze terug in de richting van de Centrale Bibliotheek, met een glazige blik. Er waren geen tranen om haar vriend, geen rilling van de schrik, niet eens het kleinste teken van emotie op haar gezicht.

Ik bleef naast haar lopen. Ze kon plotseling nog zo koud en gevoelloos lijken, het stond buiten kijf dat ze nu niet alleen mocht zijn. Misschien was het wel een soort shocktoestand waar ze in verkeerde. En ik was niet dat hele stuk achter haar aan gerend om haar nu alsnog aan haar lot over te laten.

De drukte van de markt deerde Rebecca niet. Zonder om zich heen te kijken liep ze stevig door, en wanneer ze tegen mensen opbotste merkte ze het niet eens. Zelfs toen ze frontaal tegen een ander meisje aan liep, dat net een patatje in haar mond stak en door de botsing het hele zakje met mayonaise en al tegen haar roodleren jasje kreeg aangeplet, sloeg ze haar ogen niet op.

'Trut!' riep het meisje haar na. Ze was een jaar of achttien en had zichzelf verfraaid met paarse hairextensions en een grote goudkleurige wenkbrauwpiercing. 'Kun je niet uitkijken?'

Maar Rebecca liep verder, in hetzelfde hoge tempo, recht op de bibliotheek af. De scheldtirade achter haar hoorde ze niet, en dat ze zelf waarschijnlijk ook mayonaise op haar spijkerjack had zitten, merkte ze niet. Voorbijgangers gingen onwillekeurig voor haar uit de weg, en ik worstelde me door de massa heen om haar te kunnen bijhouden.

Bij de ingang van de bibliotheek liep Rebecca zonder aarzelen naar binnen, recht op de toiletten af. Slechts heel even vertraagde ze haar pas toen ze voor het dichte toegangspoortje stond. Toen diepte ze een muntje op uit haar jaszak, schoof het in de gleuf en liep door het geopende hekje de toiletruimte binnen. Ze hield haar hoofd gebogen toen ze de hoek om verdween.

Ik bleef wachten.

* * *

Volgens mijn horloge stond ik er al meer dan tien minuten. Wat kon iemand in vredesnaam zo lang op de wc doen? In het kleine kwartier dat ik stond te wachten, had ik mensen de toiletruimte zowel zien binnengaan als weer verlaten, was er bij het grote schaakspel op de vloer een nieuw spel gestart tussen een langharige man en een Marokkaanse jongen, had een meisje met rood stekeltjeshaar en een zwart jack vol glimmende buttons flyers gelegd in de daarvoor bestemde vakken bij de ingang, had een luidruchtige schoolklas met pubers in gezelschap van een transpirerende lerares het gebouw verlaten en was het in Dik T nog drukker geworden. Ik bleef op Rebecca wachten, en te midden van alle reuring zag ik steeds weer de eigenaardige uitdrukking voor me die op haar gezicht stond toen ze zich na Kevins ongeluk had omgedraaid en was weggelopen. Na alle inspanning om hem achterna te rennen had ze zich na de aanrijding niet in paniek op hem gestort en had ze niet biddend voor een goede afloop op de ambulance gewacht. Er was geen traan over haar wang gerold, niets. Er was alleen die ene, luide, hart-verscheurende gil geweest, waarna ze als in een roes terug naar de Centrale Bibliotheek was gelopen. Ze had zich voortbewogen als een slaapwandelaar: haar gezicht was uitdrukkingsloos en haar armen hingen slap langs haar lichaam.

Ik keek nogmaals op mijn horloge en nam een besluit. Waar stond ik eigenlijk op te wachten? Er was toch niets wat ik écht voor Rebecca kon doen. Ik zou hooguit haar ouders kunnen bellen om te vragen haar te komen halen zodat ze niet meer alleen was in deze rare toestand, maar dan zou ze me eerst hun nummer moeten geven, en waarom zou ze dat doen? Nee, ik kon er maar beter vandoor gaan. Ik kende het meisje niet eens en ze leek niet op mijn hulp te wachten. Er waren vast en zeker genoeg mensen die haar goed zouden opvangen wanneer ze hoorden wat er was gebeurd. Dat was niet mijn taak. Ik moest naar huis gaan en eindelijk eens gaan werken, al zou me dat waarschijnlijk niet meer lukken na deze bizarre gebeurtenissen. Een huivering schoot door me heen bij de herinnering aan die arme Kevin. Ik zou nooit kunnen vergeten hoe hij erbij had gelegen. De vreemde hoek waarin hij had gelegen, de paniek op de gezichten van de omstanders, de felle zon die het geheel had aanschouwd maar onverstoorbaar was blijven schijnen.

Vorige week, toen ik uit de kliniek kwam, was er geen zon geweest. Uit donkere wolken had het geregend, de hele dag. Alsof de hemel was opengebarsten en huilde om de kleine engel die zo snel werd teruggezonden.

Ik legde mijn hand op mijn buik en uit het zijvakje van mijn tas griste ik de pijnstillers. Het was pas de tweede keer vandaag, ik probeerde ze af te bouwen. Zonder te kijken drukte ik een pilletje uit de strip en spoelde het weg met het restje water uit mijn fles. Toen draaide ik me om en liep op de uitgang af. In Eddy's flat zou ik met een warme kruik tegen mijn buik op de bank kruipen. Eddy had vandaag avonddienst in het ziekenhuis, hij zou pas laat thuiskomen. Met mijn laptop erbij en een grote thermoskan kamillethee zou ik eindelijk verder werken aan mijn boek. Dát was wat ik hoorde te doen, dat was wat er van mij werd verwacht en waar ik voor betaald kreeg. Niet om hier te staan en mezelf in te beelden dat ik onmisbaar was voor iemand die ik een paar uur geleden voor het eerst had gezien. Het was duidelijk dat—

Er werd een hand op mijn schouder gelegd. Ik keek op om te zien wie dat deed.

Een oud gezicht keek me ernstig aan. Een gezicht dat ik eerder had gezien. De man die had voorspeld dat Kevin een ongeluk zou krijgen!

Er schoot een siddering door me heen.

'Niet weggaan,' zei hij.

Ik trok abrupt zijn hand van me af en liep verder.

De oude man liep mee en bij de draaideur ging hij voor me staan om me de weg te versperren. 'Luister even naar me, Jill,' zei hij dwingend. 'Het is belangrijk dat je hier blijft.'

Het verbaasde me niet dat hij wist hoe ik heette. We waren in de bibliotheek en deze man kende blijkbaar mijn boeken. Maar toch bezorgde hij me de rillingen. De manier waarop hij voor me bleef staan, het feit dat hij had geweten dat er iets met Kevin zou gebeuren. Hoe kon dat? Er was meer aan de hand.

'Waarom?' vroeg ik.

Om ons heen was het druk: er liepen mensen naar binnen en naar buiten, maar nu hij wist dat hij mijn aandacht had sprak hij rustig. 'Kom even mee naar boven,' zei hij, 'dan leg ik het uit. Ik wil je graag iets laten zien.'

'Nee. Leg het híér maar uit, want ik ga zo weg, ik heb dingen te doen. Belangrijke dingen! Ik ben hier al lang genoeg geweest, en het lijkt wel alsof alles fout gaat.'

De man knikte. 'Dat is nou precies waar ik het met je over wil hebben. Ik heb jou niet zomaar benaderd, Jill.' Ik keek hem vertwijfeld aan en hij vervolgde: 'Alles wat ik van je vraag is een paar minuten van je tijd. Meer niet. Als je daarna nog steeds weg wilt, dan zal ik dat respecteren en je laten gaan.'

Een paar seconden staarde ik hem aan. Hij keek vriendelijk terug, de blik in zijn ogen was oprecht. Ach, waarom ook niet. Wat kon het voor kwaad om heel even met deze wonderlijke oude man mee te lopen als ik hem daar een plezier mee deed? Wat hij me ook wilde laten zien, het was kennelijk erg belangrijk voor hem. En als het onzin bleek te zijn, dan was er nog geen man overboord. Een paar minuten meer of minder maakten nu ook niet meer uit.

Ik volgde hem naar de roltrap. In de drukte op de begane grond viel zijn kalme manier van lopen extra op. Wat een verschil met Helmut. De onrustige, nerveuze motoriek van Helmut stond in schril contrast met de lichte tred van deze man. Helmut was hyper, dat was hij altijd al geweest. En misschien had ik dat ooit, in het begin, vermakelijk gevonden: het maakte hem een gangmaker op feestjes, en saai was het nooit. Maar al snel was het vervelend geworden. Wanneer ik een deadline had en 's avonds rust en stilte nodig had om te werken, ijsbeerde hij door de kamer omdat hij zich niet kon ontspannen. Soms ging hij pal tegenover me zitten om me aan te staren. Ik werd er gek van en hij maakte het me onmogelijk me te concentreren. Ik was de spil van zijn leven, had hij steeds opnieuw verklaard; de ernst van die bewering had ik pas ontdekt toen ik bij hem wegging. Sinds we uit elkaar waren lukte het hem niet om zijn eigen draai te vinden, zijn bestaan was volledig om het mijne geklonken, en hij weigerde zich los te maken. De opluchting die ik had ervaren bij het beëindigen van onze relatie nadat ik had ontdekt wat hij voor onvergefelijks had gedaan, was bij hem uitgebleven. In plaats daarvan klaagde hij dat zijn leven voorbij was. *Voorbij.* De betekenis van dat woord drong niet eens tot hem door, Helmut had geen idee waar hij het over had. Voor de minuscule baby die even in mijn buik had geleefd was het leven echt voorbij. Voorbij, voordat het zelfs maar was begonnen.

Ik was inmiddels boven aan de roltrap gekomen en ik volgde de oude man de eerste verdieping over. Hij liep een paar passen voor me uit en...

'Jill,' klonk het aarzelend achter me.

Ik stond stil en keek om. Een vrouw met kort rood haar wenkte me. Ik had haar eerder gezien, en toen ze dichterbij kwam wist ik waar ik haar van kende: ze was een van de bibliotheekmedewerkers van deze verdieping. Tijdens mijn vorige bezoekjes had ik haar wel eens achter de infobalie zien zitten, meestal met een collega.

'Hallo Jill,' zei ze.

'Hoi.'

'Zeg, ik wil je niet storen of zo, hoor,' begon ze, 'maar ik wil je wel graag even iets vragen over die man met wie jij meeloopt.'

Ik keek over mijn schouder. De oude man stond bij de volgende roltrap geduldig op me te wachten.

'Ken je hem?' vroeg ze.

'Hoezo?'

'Nou, omdat wij ons eerlijk gezegd al een tijdje afvragen wie hij is...' Hij keek naar ons, ik kon het voelen. Zou hij weten dat we het over hem hadden? 'En dat zeg ik niet om kwaad over die man te spreken of iets dergelijks,' vervolgde ze, 'want ik ken hem verder ook niet natuurlijk. Het enige wat ik weet is dat hij hier al zo lang als wij ons kunnen herinneren iedere dag rondhangt, en van 's ochtends tot 's avonds niets anders doet dan de hele dag met de roltrappen op en neer te gaan. We hebben hem in al die jaren nog nooit een boek zien lezen of met iemand zien praten, dus nu jij ineens met hem meeloopt en met hem in gesprek bent... nou ja... ik dacht: ik vraag het je gewoon.' Ze keek langs me heen, naar de oude man. 'Wat ik wil zeggen is dat hij een beetje een vaag figuur is. Het is bijna alsof het hem er alleen maar om gaat in dit gebouw aanwezig te zijn, zonder dat hij hier iets te doen heeft.'

'Hij is oké,' zei ik slechts.

De vrouw kleurde licht. 'Ik bedoelde het niet verkeerd,' zei ze vlug. 'Alleen maar...'

'Het is goed.'

De man glimlachte toen ik weer bij hem was. 'Hierheen,' wenkte hij.

We gingen naar de tweede en toen naar de derde verdieping. Daar liep hij naar de Erasmuszaal. Ik volgde hem.

'Dáár ben je!' hoorde ik plotseling. 'Eindelijk heb ik je gevonden!'

Met een ruk draaide ik me om. 'Wat doe jíj hier?'

'Ik hoopte al dat ik je hier zou vinden,' glunderde Helmut. 'Je zei dat je aan het lunchen was met

Samantha, en ik weet natuurlijk dat dit jullie vaste lunchplek is! Toen ik je niet in Dik T zag, besloot ik om ook nog even in het gebouw te kijken. En gelukkig maar!'

'Ga weg.' Ik was kortaf en resoluut.

Helmut keek gekwetst. 'Is dat alles wat je tegen me te zeggen hebt? Ik heb je al meer dan een week niet gezien.'

'Omdat we uit elkaar zijn, Helmut. Zo gaat dat, dan zie je elkaar niet meer.'

'Maar... ik mis je!'

'Hou toch op. Je mailt en belt me iedere dag! Je valt zelfs mijn ouders lastig omdat je niet gelooft dat ik niet bij hen logeer. Dringt het niet tot je door dat ik geen contact met je wil? Ik meen het, Helmut: ga weg. Ga terug naar Duitsland, laat je vastzetten in een dwangbuis, wat dan ook, het maakt me niet uit wat je doet, maar laat me met rust!' Mijn krampen, de trappelende voetjes van de kleine geest in mijn buik, werden heviger. Helmuts aanblik alleen al bezorgde me hoofdpijn. Hij moest weg. Weg, voordat ik zou gaan gillen.

Nu pas zag Helmut de oude man staan, die een eindje verderop bij de glazen wand van de Erasmuszaal op mij wachtte, en zijn ogen werden klein. 'Wie is dat? Is dat je nieuwe vriend?'

'Ach, man, ga toch weg, ik ben bezig.'

Hij lachte hard. 'Bezig! Ja, dat zie ik!' Hij keek van de oude man naar mij en terug, en schudde verbitterd zijn hoofd. 'Ik wist niet dat ik zo snel zou worden vervangen.'

'Je bent ziek. Ga alsjeblieft hulp zoeken.'

Helmut sloeg zijn armen over elkaar. 'Dit had ik niet van jou verwacht, Jill.'

Ik duwde opzij. 'Jammer dan, oprotten nu. Deze man gaat mij iets belangrijks laten zien en—'

'Maar wanneer open jij je ogen voor wat ík je wil laten zien, Jill?' onderbrak hij me. 'Jouw oordop-jes liggen nog in ons bed, onder jouw kussen, wist je dat? En ik zal ze daar voor altijd houden want het zijn stukjes van onze geschiedenis! Ik stop ze 's avonds wanneer ik naar bed ga in mijn mond en dan zuig ik erop om het gevoel te hebben dat je dicht bij me bent. Alleen dan kan ik slapen!'

Ik stond stil. 'Zeg alsjeblieft dat je dat hebt ver-zonnen.'

'Maar dat is niet alles! Ik heb jouw haren in het doucheputje ook nog niet verwijderd. En je vuile was zit nog in de wasmand. Zelfs je sojamelk staat in de koelkast! Je bent er nog, *Schatzi*! Ik zal jou nooit laten gaan!'

'Je bent echt gestoord!'

'Op mijn werk hebben ze me voor onbepaalde tijd op non-actief gezet,' vervolgde hij, 'omdat ik niet goed functioneer. Want ik kan alleen maar aan jóú denken!' Hij deed een paar stappen in mijn rich-ting. Het wit van zijn ogen was bloeddoorlopen en ik deinsde naar achteren.

'Het is voorbij, Helmut. Over. Hoe vaak wil je het horen? Je moet het accepteren en verdergaan met je leven, of wat daar nog van over is.'

'Maar jíj bent mijn leven! Jij, Jill, jij!'

Ik schudde mijn hoofd. 'Dan is het de hoogste tijd voor een reïncarnatie.'

'Je begrijpt het niet! *Schatzi*, met jou gaat de zon op en met jou gaat hij onder. Jij bent voor mij de mooiste ster in het heelal! Ik zoek naar jou in iedere vrouw die ik zie... En soms is ergens ineens iemand die jouw lippen heeft, of van wie de ogen op de jouwe lijken, of bij wie het haar dezelfde kleur heeft als het jouwe. En weet je wat ik dan doe? Dan maak ik foto's van ze, zonder dat ze het zien. En ik bewaar die foto's, ik kijk ernaar wanneer ik 's avonds eenzaam ben! Maar het is frustrerend, want er is nooit iemand die écht op jou lijkt. Want jij bent uniek, Jill! Zoals jij is er maar één, en ik wil je terug! Je bent van mij!' Hij stootte een kreet uit en drukte zijn handen tegen zijn borst. 'Mijn hart bloedt voor jou. Het bloedt en ik stroom langzaam leeg!'

Voorbijgangers keken naar ons en stootten elkaar aan.

Een zoveelste steek schoot door mijn buik. 'Je weet niet waar je het over hebt.' Hoe kon hij weten hoe het voelde om daadwerkelijk te bloeden en leeg te zijn, zoals ik?

'Ik kijk iedere avond naar onze filmpjes,' bekende hij. 'Jij in bed. Jij in bad. Jij, overal!'

Er had zich inmiddels een klein groepje om ons heen verzameld, en een van de omstanders, een kleine, gezette man, schoot in de lach. 'Zijn die filmpjes hier te leen?'

Helmut negeerde hem en ging verder. 'Jij samen met mij, kreunend van genot...'

'Dat was nep,' zei ik scherp.

'Lieg niet.'

Ik zuchtte. 'Weet je wat? Denk wat je wilt. Doe wat je wilt. Bekijk alle filmpjes die je van me hebt en trek je erop af. Vreet mijn oordopjes op en flos daarna je tanden met de haren uit het doucheputje. Maar laat mij met rust. Ik ga verder met mijn leven, Helmut, en daar hoor jij niet in.'

'Jill...'

'Ja, wat denk je nou? Dat ik vergeten ben wat er is gebeurd, wat je maandenlang hebt gedaan zonder dat ik het wist?'

Hij liet zijn hoofd hangen. 'Ik heb toch gezegd dat het me spijt?'

Een jonge vrouw van mijn leeftijd tikte hem op zijn arm. 'Laat het gaan,' zei ze sussend. 'Over is over.'

Helmuts lip begon te trillen. 'Maar Jill, ik kan niet zonder je! De enige reden dat ik heb gedaan wat ik heb gedaan, is omdat ik zo veel van je hou! Ik wíl niet zonder je, Jill. Ik leef voor deze liefde!'

'Er is geen liefde! Je bent gek.'

'Gek op jóú! Toe nou, *Schatzi*, laat me het goedmaken met je.'

Maar ik liep weg, naar de oude man die discreet met zijn rug naar ons toe was gaan staan.

'Wil je er misschien over praten?' hoorde ik een hese vrouwenstem zwoel aan Helmut vragen.

Zijn antwoord was niet te verstaan.

'Sorry van die scène,' zei ik toen ik eindelijk naast de man bij de glazen wand stond. 'Dat was mijn ex. Hij kan zich er niet bij neerleggen dat onze relatie voorbij is.'

'De kunst van het loslaten is de sleutel tot het ware geluk,' zei de man bedachtzaam. 'Ik vermoed dat jouw heetgebakerde vriend dat nog niet helemaal beseft.'

Ik knikte.

'Houd afstand van hem,' waarschuwde hij. 'Hij is niet wat jij nu nodig hebt.'

'Dank u, daar was ik zelf ook al achter.'

Hij glimlachte zowaar, en het plezier gleed even over zijn gegroefde gelaat. Toen was het weg en keek hij weer ernstig. 'Jill,' zei hij, 'je hebt een juiste keuze gemaakt door met mij mee te lopen zodat ik je dit kan tonen. Je zult er spoedig het belang van inzien.'

'Ik hoop het.'

'Maar voordat we beginnen, zal ik me eerst voorstellen,' zei hij. 'Dat is wel zo beleefd, vind je niet?'

'Dat lijkt me ook. U schijnt al wel te weten wie ik ben.'

'Je hoeft geen u tegen mij te zeggen, Jill. Ik heet Johannes.' Hij deed een stap opzij en wees naar een stuk papier dat ingelijst op een plank achter de glazen wand stond, tussen de verzameling unieke documenten over Erasmus en andere historische stukken in. 'Zie je die brief?'

Ik boog naar het glas toe en volgde zijn vinger. De brief waar hij naar wees zag er erg oud uit. Volgens de tekst op het bordje dat erbij stond, dateerde hij uit 1312.

'Ik zal je zo helder en beknopt mogelijk proberen uit te leggen waar het om gaat,' begon Johannes, 'want we hebben niet veel tijd.'

'Hoe bedoel je dat?'

Hij legde zijn vinger op zijn mond. 'Geduld. Luister eerst naar wat ik je ga vertellen, dan begrijp je het vanzelf.'

Vanuit mijn ooghoek zag ik de roodharige bibliotheekmedewerkster voorbijlopen. Nieuwsgierig keek ze naar ons, maar ik deed alsof ik haar niet opmerkte. Gelukkig was Helmut verdwenen.

'Deze brief is zevenhonderd jaar geleden geschreven door een zestienjarig meisje genaamd Ysabella,' vertelde Johannes. 'Zij—'

'Ik dacht dat vrouwen in de veertiende eeuw niet konden schrijven,' merkte ik op. 'Dat was toch een vaardigheid die alleen was weggelegd voor mannen?'

Johannes glimlachte. 'De kunst van het lezen en

49

schrijven werd in die tijd over het algemeen inderdaad niet aan vrouwen en meisjes bijgebracht. Maar er waren gelukkig uitzonderingen.'

'Natuurlijk.'

'Mag ik dan nu mijn verhaal vervolgen?' Een pretlichtje twinkelde in zijn ogen.

Ik knikte en zijn blik werd weer serieus. 'Eigenlijk is het een zeer tragische geschiedenis, moet je weten. Wat je hier ziet, is namelijk een afscheidsbrief van Ysabella aan haar vader. Na het schrijven van deze brief heeft de jonge Ysabella zichzelf van het leven beroofd door zich op te hangen in het Gasthuis waar zij werkzaam was als dienstbode.'

'Nee.' Ik sloeg een hand voor mijn mond. 'Wat erg!' Om de brief beter te kunnen bekijken bracht ik mijn gezicht dicht bij het glas. Het oude perkament was vergeeld, de hoeken waren gekruld en de inkt was hier en daar van ouderdom zo vervaagd dat de letters niet meer zichtbaar waren. Het middeleeuwse handschrift leek totaal niet op moderne letters en het viel niet te ontcijferen. 'Waarom vertel je mij dit allemaal?' vroeg ik.

'De reden van Ysabella's zelfmoord was dat ze kort daarvoor ruzie had gekregen met haar vriend, de negentienjarige Henric. Na deze ruzie stormde Henric weg en kwam door verdrinking om het leven. Een vreselijk ongeluk. Ysabella, van wie de moeder slechts een half jaar daarvoor ook al was overleden, kon deze klap niet aan en pleegde zelfmoord.' Hij haalde diep adem en keek even om zich heen. Toen verklaarde hij: 'Het Gasthuis waarin dat drama zich heeft afgespeeld, stond in de veertiende eeuw op precies dezelfde plek als waar de Centrale Bibliotheek staat.'

Ik fronste mijn wenkbrauwen. 'Echt waar?'

'Zo waar als jij en ik hier staan.'

Ik kreeg kippenvel. 'Dus zevenhonderd jaar geleden is er op deze plek iets vreselijks gebeurd.'

Hij knikte. 'Op 27 april 1312, om precies te zijn.'

Mijn ogen sperden zich open. 'Vandáág is het 27 april.'

'Ik was nog niet klaar, Jill.' Hij pauzeerde even en hield mijn blik vast toen hij langzaam zei: 'Wat ik nu ga zeggen zal misschien een beetje vreemd klinken, maar het is belangrijk dat je me gelooft.'

'Zeg het maar.'

'Goed.' Hij dempte zijn stem. 'Het is helaas zo dat deze tragische geschiedenis zich tot nu toe iedere eeuw herhaalt. Elke honderd jaar vindt er op 27 april een drama plaats op de plek waar Ysabella een einde aan haar leven maakte. Een verliefde jongen en meisje krijgen ruzie, waarna de jongen door een ongeval om het leven komt en het meisje vervolgens zelfmoord pleegt. Zo is het steeds gegaan en zo zal het blijven gaan, totdat iemand de vloek verbreekt. Dat is namelijk de enige manier om dit te stoppen. Gebeurt dit niet, dan zal deze ramp zich iedere honderd jaar blijven herhalen.'

Met open mond keek ik hem aan. 'Hoe verzin je dit allemaal?'

'Het is helaas de waarheid.'

Toen ik zweeg zei hij: 'De reden dat ik dit aan jou wilde vertellen, is Rebecca.'

Heel even wist ik niet over wie hij het had, maar direct daarna drong het tot me door. 'Wat weet jij van haar? Wat is dit voor zieke grap?'

'Jill, dat meisje is niet zomaar toevallig op jouw pad gekomen. Jíj kan het drama oplossen! Rebecca is in de ban van de vloek, en net als haar voorgangsters zal ze—'

'Hou maar op,' zei ik. Ik wendde me af van de glazen wand en keek hem recht aan. 'Ik heb naar je geluisterd en nu ga ik weg. Waar zie je me voor aan? Ik heb geen tijd voor dit soort verhaaltjes. Wat er net met de vriend van dat meisje is gebeurd, is al tragisch genoeg. Ik hoef jouw zieke fantasietjes niet aan te horen.'

Met die woorden draaide ik me om en liet Johannes achter bij de vitrine. Op de roltrap naar beneden schudde ik mijn hoofd. Die bibliotheekmedewerkster had dus gelijk, deze man spoorde inderdaad niet. Met zo'n absurd verhaal aankomen over een brief en een vloek, en dan ook nog eens over Rebecca beginnen. Hoe wist hij überhaupt de naam van dat arme meisje? En...

Ik kreeg de begane grond nog niet in het vizier of het was duidelijk dat er iets aan de hand was: een groepje mensen had zich voor de ingang van de toiletten verzameld en op hun gezichten lag dezelfde geschokte uitdrukking die ik nog geen uur geleden bij de omstanders van Kevins ongeluk had gezien.

Nee! Nee, het kon niet waar zijn.

Vlug ging ik de roltrap af en liep naar de menigte. Een beveiligingsmedewerker stond bij het toegangspoortje naar de toiletten om mensen te beletten naar binnen te gaan. Een collega van hem, dezelfde man die ik op de tweede verdieping had zien surveilleren toen ik met Rebecca aan het praten was, maande de mensen om door te lopen en geen oponthoud te veroorzaken. 'Er valt hier niets te zien, dames en heren, loopt u alstublieft gewoon door. Kom op mensen, anders blokkeert u de boel.'

Een mollige vrouw van middelbare leeftijd was aan het huilen. Een man in ambulance-uniform stond bij haar.

'Ik kon niet geloven wat ik zag,' snikte de vrouw. Ze trilde over haar hele lichaam. 'Het lijkt wel een nachtmerrie. O god, o god, dit zal ik nooit meer kunnen vergeten. Al dat bloed dat ineens onder de deur vandaan kwam. Och, mijn hemel toch...'

Een andere vrouw, die ik herkende als de toiletjuffrouw, stond er ook bij. Haar gezicht was wit weggetrokken en ze keek verschrikt. Ze had de handen voor haar mond geslagen.

Een koude rilling liep over mijn rug. Dit was toeval. Dat kon niet anders. Het had heus niets met

Rebecca te maken, er was gewoon iets anders aan de hand. Misschien was er wel een oud dametje geweest dat naar het toilet was gestrompeld en daar onwel was geworden. Flauwgevallen en met haar broze hoofdje tegen de deur terechtgekomen. Een *boem* en een schedelbasisfractuur, met als gevolg het bloed waar die vrouw het over had. Ja, zoiets moest het zijn. Het oude vrouwtje zou een paar hechtingen krijgen, wat verband om haar zilvergrijze hoofd en instructies om het een paar dagen rustig aan te doen, en dan zou ze weer helemaal hersteld zijn. Deze mensen zouden snel van de schrik bekomen en verder gaan met hun dag. Rebecca was niet meer hier, ze was al lang en breed op weg naar huis. Ze zou haar vriendinnen bellen en bij hen troost vinden. Ze zou hun vertellen wat er was gebeurd en ze zouden haar helpen om...

Plotseling verstomde het rumoer. Alle ogen waren op de ingang van de toiletten gericht. Want daar, als iets wat leek op een tafereel uit een film of het journaal, werd een blond meisje door ambulancepersoneel op een brancard naar buiten gereden. De beveiligingsmedewerker had het metalen hekje naast het toegangspoortje opengezet en de brancard reed erdoorheen. Ik zag dat er behalve het ambulancepersoneel ook politieagenten rondliepen. Ze droegen portofoons en maakten de weg vrij voor de brancard. Een van hen ging in gesprek met de toiletjuffrouw en maakte notities. Ik kon niet

verstaan wat er werd gezegd. De beveiligingsmedewerker die de menigte had opgedragen om door te
lopen, was naar de uitgang gesneld en opende de
grote deur die zich naast de draaideur bevond. De
brancard werd naar buiten gereden, rechtstreeks de
ambulance in, die voor de deur van de bibliotheek
klaarstond.

Meteen braken de vele stemmen weer los, luider
dan daarnet.

Ik draaide me om en liep als enige weg, naar de
roltrap. Ik moest terug naar de oude man, ik moest
hem spreken, erachter komen hoe hij dit had geweten. De rillingen hadden zich inmiddels over de
rest van mijn lichaam verspreid en ik had het koud.

Buiten werd Rebecca met loeiende sirenes weggereden.

***

Het beeld van Rebecca's lijkwitte gezicht terwijl ze op de brancard naar buiten werd gespoed, had zich aan mijn netvlies vastgezogen terwijl ik naar boven rende. Ik zag het voor me, en hoe vaak ik ook met mijn ogen knipperde om het te verdringen, ik bleef het zien. Mijn hoge hakken tikten op de stalen treden van de roltrap in hun haast om me zo snel mogelijk naar boven te dragen, en ze overstemden mijn bonkende hartslag. Ik moest Johannes spreken. Hij had voorspeld dat dit zou gebeuren, zoals hij ook had voospeld wat er met Kevin zou gebeuren. En ik geloofde hem nu, natúúrlijk geloofde ik hem nu. Dit kon geen toeval meer zijn.

Maar wie was hij? En wat wist hij nog meer?

De baliemedewerkster van de eerste verdieping keek verwonderd op toen ik langs kwam stuiven. Haar collega hield met een geschokt gezicht de telefoon tegen haar oor gedrukt. 'Wat vreselijk,' hoorde ik haar tegen de persoon aan de andere kant van de lijn zeggen. 'Ja, tuurlijk houden we het stil. Sterkte daar beneden. Hoe is het met die arme Janine? En dat na die toestand met die junk van vorige week. Ja, ik kan...'

De rest van wat ze zei bereikte mijn oren niet meer, want ik liep snel verder naar de volgende roltrap, aan de andere kant van de verdieping. Weer haastte ik me naar boven, maar halverwege moest ik stilstaan. Twee meisjes stonden achter elkaar voor me, muziekdopjes in de oren, hevig kauwgom malend. Allebei droegen ze een grote rugzak. De roltrap was te smal om ze te passeren, en terwijl ik wachtte tot we boven waren luisterde ik noodgedwongen mee naar de muziek van Justin Bieber die uit de oordopjes schalde.

Boven liep ik rechtstreeks naar de Erasmuszaal, waar ik Johannes voor het laatst had gezien. Hij stond er nog. Rustig afwachtend, alsof hij had geweten dat ik zou terugkomen.

Met een bezweet gezicht maar verder toch nog steeds koud, ging ik bij hem staan.

'Het is dus gebeurd,' was het enige wat hij zei, meer bij wijze van constatering dan als vraag.

'Hoe wist je het? Wat heeft dit allemaal te betekenen?'

Johannes wees naar de ronde tafel met stoelen die een paar meter verderop stond. 'Kom even zitten,' stelde hij voor.

'Jill, ik heb je daarnet een verhaal verteld en ik neem aan dat je je dat nog herinnert.'

'Ja.'

'Nou, ten eerste kan ik het je niet kwalijk nemen dat je me niet geloofde, het is natuurlijk een nogal ongewone geschiedenis.'

Ik schudde mijn hoofd. 'Luister, Rebecca is dood.

Net als haar vriend. En jij hebt allebei die dingen voorspeld. Ik ben bereid je te geloven.'

Johannes schraapte zijn keel. 'Ze zijn niet dood, Jill.'

'Hoe bedoel je?'

'Ze zijn niet dood,' herhaalde hij. 'Althans, nog niet.'

'Maar ik heb ze gezien! Eerst Kevin, toen Rebecca, ik heb ze gezien!'

De oude man keek me geduldig aan en koos zijn woorden zorgvuldig, alsof hij er zeker van wilde zijn dat ik hem zou begrijpen. 'Wat jij hebt gezien, is dat ze beiden in kritieke toestand verkeren. Ze zijn naar het ziekenhuis overgebracht. En wat er vandaag verder gebeurt, zal bepalen of ze het wel of niet gaan redden.' Hij zweeg even, wreef met zijn hand over zijn baard. 'Nu komen we weer bij het gedeelte waar jij wat moeite mee had,' zei hij voorzichtig.

'Die vloek, bedoel je? Vertel het me maar gewoon.'

'Goed. Er is dus, zoals ik al zei, een manier om ervoor te zorgen dat zowel Rebecca als haar vriend in leven blijft.'

'Door de vloek op te heffen.'

Hij knikte.

'Maar hoe dan?' vroeg ik. 'Ik snap het niet.'

'Ik zal het je uitleggen. Het volgende zal moeten plaatsvinden...' Hij wachtte even tot twee jongens ons voorbij waren gelopen, en ging toen zacht verder: 'Een verliefd stel moet ruzie krijgen. Net zoals Ysabella ruzie kreeg met Henric, en jouw Rebecca ruzie kreeg met Kevin. Maar in plaats van dat de jongen daarna wegstormt, moeten ze elkaar kussen. Hier, in dit gebouw en op dezelfde plek waar door de eeuwen heen steeds een koppel op deze datum onenigheid kreeg. Want pas wanneer twee mensen op ditzelfde punt in de wereld en op deze datum hun liefde na een ruzie bevestigen in plaats van verbreken, zal de vloek zijn kracht verliezen en worden verbroken.'

Ik zei niets en liet zijn woorden tot me doordringen.

Johannes zweeg en liet me de informatie verwerken.

'Hoe weet jij dit allemaal?' vroeg ik uiteindelijk.

Hij schudde zijn hoofd. 'Geen vragen, Jill. Voor het eind van deze dag zal het je allemaal duidelijk zijn, dat beloof ik je.'

'Maar—'

Net als eerder drukte hij een vinger tegen zijn mond. 'Sst. Wat nu van belang is, is dat de vloek wordt verbroken zodat Rebecca en haar vriend in leven blijven.'

Ik beet op mijn lip. 'Ja, ik weet het niet, hoor. Hoe kan ik er nou voor zorgen dat twee mensen hier ruzie krijgen, en dat ze elkaar daarna nog gaan kussen ook? Dat lijkt wel iets uit een film. Zoiets bestaat niet in het echt!'

'Het bestaat wél,' zei Johannes, 'en jij kunt het.' Hij keek alsof hij het echt geloofde.

'Maar eigenlijk moet ik naar huis,' zei ik. 'Er zijn andere dingen die ik moet doen.'

'Jill...'

Ik sloeg mijn ogen neer. Hij had gelijk. Dit ging om het redden van een leven, meerdere levens zelfs, en uitgerekend ik zou daar nu de waarde van moeten inzien. Ik had wat goed te maken.

'Oké,' zei ik. 'Ik doe het.'

* * *

Johannes was weggelopen en had mij achtergelaten bij de Erasmuszaal. Hij wilde mij niet 'afleiden' van wat ik moest doen, had hij gezegd, en scheen ervan overtuigd te zijn dat ik het tot een goed einde zou weten te brengen. Wie hij was en waarom het slagen van deze zaak zo belangrijk was voor hem, wist ik niet. Maar hij had gelijk gehad toen hij zei dat het van groot belang was om de vloek te verbreken. Het was inmiddels al half vier geweest, sluitingstijd naderde, ik kon er maar beter meteen mee beginnen. Het zou vast niet gemakkelijk worden om een geschikt stelletje te vinden.

Ik liep over de derde verdieping en keek om me heen. De meest ideale situatie zou natuurlijk zijn als ik twee verliefde mensen kon vinden die al ruzie hadden. Het enige wat ik dan hoefde te doen, was me ermee bemoeien en ervoor zorgen dat ze het zouden goedmaken. Dat kon niet al te moeilijk zijn. Maar een ruzie eerst *veroorzaken* en daarna proberen de toestand ook nog te lijmen, dat zou veel lastiger zijn.

Ik speurde de verdieping af, maar de enige mensen die ik zag waren scholieren en studenten die rustig in groepjes over hun boeken zaten gebogen, en verder vooral mensen alleen: mannen, vrouwen, hier en daar moeders met kleine kinderen, maar geen stelletjes.

Toen ik een hoek om ging en de andere kant op liep, zag ik nog net hoe iemand wegdook achter een boekenkast een paar meter verderop, en ik onderdrukte een zucht. Zelfs in die ene flits had ik gezien wie het was. Tussen de boeken door, op de plaats waar iemand er één uit de rij had getrokken, kon ik een glimp van een bekend blauw t-shirt opvangen. Helmut had er tientallen van, Superman-t-shirts, de helft van zijn kast hing er vol mee. Soms droeg hij wekenlang niets anders. Samantha had me er wel eens giechelend mee geplaagd en gevraagd: 'Draagt hij er thuis dan ook een maillot bij?'

De obsessieontvankelijke Helmut was al vanaf zijn kinderjaren in de ban van de vliegende superheld en hij was er nooit overheen gegroeid. Hoe vaak had hij tegen mij wel niet gezegd dat hij zich zijn hele leven een Clark Kent had gevoeld, maar dat ik de Superman in hem had losgemaakt? Hij had mijn meewarige lach als aanmoediging opgevat, en sindsdien waren de Superman-t-shirts en het met veel gel achterovergekamde haar een vast onderdeel van zijn verschijning geworden. Hij koesterde het waanbeeld dat hij in mij zijn eigen Lois Lane had gevonden.

Terwijl ik deed alsof ik niet doorhad dat mijn weggedoken ex me vanachter zijn stellage nauwlettend bespioneerde, liep ik naar de volgende verdieping. Er waren belangrijker zaken om me mee bezig te houden dan Helmut Müller.

Op de vierde verdieping zag ik ook geen stelletjes,

maar op de vijfde had ik eindelijk geluk: een jongen en een meisje zaten samen aan een grote ronde tafel. Het was de sportafdeling, zag ik, en achter hen stond een enorme verzameling tijdschriften over gezondheid uitgestald.

Even observeerde ik hen. Ze waren verliefd, dat zag je meteen. Ze zaten dicht tegen elkaar aan en hadden geen oog voor hun omgeving. Wanneer de jongen sprak, keek het meisje met glanzende ogen naar hem op, en wanneer zij iets opschreef in haar schrift, streek hij voorzichtig het haar uit haar gezicht. Naast hen, aan dezelfde tafel, stonden een paar lege stoelen, en zonder verder nog te aarzelen liep ik erop af en greep onderweg een paar willekeurige boeken van een plank.

Met een zacht plofje legde ik de boeken op tafel en nam plaats naast de jongen. Ze keken even op, de jongen met een verstoorde blik. Het meisje beantwoordde mijn glimlach. Hierna bogen ze zich weer samen over de boeken die ze voor zich hadden liggen.

Door mijn wimpers bekeek ik ze, terwijl ik zogenaamd aandachtig bladerde door een van de boeken die ik had gepakt, een fotoboek over het vijfenzeventigjarig bestaan van een buitenlandse voetbalclub.

Na een paar minuten keek ik op en kuchte.

Ze reageerden niet.

Ik kuchte nog een keer, luider.

Het meisje keek me vragend aan.

'Sorry,' begon ik, 'maar ik vind het nogal vervelend dat jouw vriend zijn voet niet bij zich kan houden. Hij zit er al de hele tijd mee over mijn enkel te wrijven en daar ben ik eigenlijk niet zo van gediend.'

Het meisje werd rood en keek naar haar vriend.

Ook de jongen keek op. 'Pardon?'

'Ja, het spijt me,' zei ik, 'maar ik vind het gewoon vervelend. Dat kan ik toch wel zeggen? Ik snap niet waarom je zoiets doet, je bent hier nota bene met je vriendin!'

Ook de jongen kleurde. Met grote ogen keek hij zijn vriendin aan. 'Ik weet niet waar ze het over heeft, hoor.'

'Leugenaar,' zei ik hard. Ik wendde me tot het meisje. 'Luister, hij zat de hele tijd met zijn voet over mijn enkel en mijn been te wrijven, en als ik hem niet had tegengehouden was hij misschien nog wel verder naar boven geklommen.'

De jongen keek me met grote ogen aan. 'Je bent gek!'

'We gaan wel ergens anders zitten,' besloot zijn vriendin. Ze stond op en klapte de boeken dicht.

'Nee, dat gaan we helemaal niet!' De jongen bleef zitten, sloeg de boeken weer open en keek van zijn vriendin naar mij en terug. 'Mel, ik laat me niet vals beschuldigen! Je gelooft dit mens toch niet, of wel? Ze liegt!'

Mel zweeg, keek voor zich uit.

'Nou? Geloof je haar en mij niet? Want dan wil ik dat eerlijk van je horen. Dan weet ik meteen hoe je over me denkt!'

Ze legde haar hand op zijn schouder en wreef er even over. 'Natuurlijk geloof ik haar niet. Maar ik heb geen zin meer om hier te blijven als zij moeilijk gaat zitten doen. Dan zoek ik liever even een ander rustig plekje.'

'Fuck dit wijf! Ze mocht willen dat ik aan d'r zat.' Zijn bovenlip krulde toen hij naar me keek, en hij trok veelzeggend een wenkbrauw op. 'Je komt thuis zeker het een en ander tekort, of niet?'

Een magere jongen met een grote rugzak die bij de tijdschriften was gaan staan, keek geïnteresseerd om.

Shit, dit ging helemaal de verkeerde kant op. Ze moesten ruzie krijgen met *elkaar*, niet met mij! Ze moesten gewoon even boos op elkaar worden, waarna ik ze zou vertellen dat ik het allemaal in scène had gezet en dat het om een of andere weddenschap ging of zo. Vervolgens zouden we er allemaal om lachen alsof het een grap met een verborgen camera was, en daarna zouden de twee elkaar opgelucht in de armen vallen. Hun lippen zouden elkaar vinden en daarmee de vloek verbreken. Iedereen blij, missie voltooid en ik naar huis. Maar het liep helemaal anders!

Ik stond op. 'Je weet net zo goed als ik wat er net

gebeurde,' hield ik vol, maar mijn stem klonk zwak en ik voelde dat ik rood was geworden.

De jongen ging ook staan en hij torende boven me uit. Hij was minstens twee koppen langer dan ik. 'Luister,' begon hij. Hij haalde diep adem, waardoor hij opzwol en nog groter leek. 'Ik—'

Maar hij kon zijn zin niet afmaken, want er klonk een woeste kreet, en daar was Helmut. Hij wrong zich tussen ons in en onwillekeurig deed ik een paar stappen naar achteren. Donkerblauwe zweetplekken prijkten in de oksels van zijn Superman-t-shirt. Nu hij recht tegenover de jongen stond leek hij klein, zijn 1,85 meter ten spijt. Zijn kaak trilde van woede. 'Jij blijft met je gore, geile puberpoten van mijn vriendin af, heb je dat goed begrepen?'

Mels ogen sperden zich wijd open. Ze greep de jongen bij zijn arm. 'Kom Danny, we gaan. Kom!'

Maar Danny bleef staan. Hij nam Helmut in zich op en grinnikte. 'En wie ben jij dan? Superman? Is dit een grap of zo?'

Helmut lachte kort. 'Een grap? Dat had je gehoopt. Luister *Knabe*, als je mijn vriendin nog één keer aanraakt dan sloop ik je!'

'Ik ben je vriendin niet, Helmut,' mengde ik me ertussen. 'En laat deze jongen met rust, het is helemaal niet wat je denkt.'

Mel trok nog een keer aan de arm van haar vriend. 'Kom, Danny. Deze mensen sporen niet, dat zie je toch? Kom nou maar mee.'

De commotie had, voornamelijk door Helmuts luide stem, de aandacht getrokken van de andere aanwezigen. De jongen bij de tijdschriften had zich helemaal omgedraaid en stond gebiologeerd toe te kijken. En ook aan de andere kant van de afdeling hadden de mensen hun boeken even opzijgelegd om te kunnen zien wat er gebeurde.

'Ik stop je *Schwanz* in de gehaktmolen,' riep Helmut, 'als ik je ooit nog in de buurt zie van mijn vriendin!'

'Blijven jullie maar hier,' zei ik tegen het meisje. 'Ik ga wel weg. Sorry voor het misverstand, ik moet me vergist hebben.'

'Ja, dat weet ik wel zeker,' reageerde de jongen.

Ik duwde Superman opzij en liep weg. De boeken liet ik op de tafel liggen.

Meteen kwam Helmut achter me aan, zweet op zijn voorhoofd. 'Wat had dat nou allemaal te betekenen? Ik kan jou echt geen moment alleen laten, Jill, geen moment! Heb je het nu eindelijk zelf ook gezien? Echt, als ik er niet was geweest om tussenbeide te komen, dan hadden er vreselijke dingen kunnen gebeuren!' De transpiratievlekken in zijn T-shirt werden groter. 'Ik verlies je nooit meer uit mijn oog,' verklaarde hij plechtig. 'Nooit meer!'

Ik stond stil en keek hem recht aan. Het gezicht dat jarenlang zo vertrouwd was geweest, zag eruit als dat van een vreemde. Een gek. 'Wat ik daar deed, Helmut, was research voor mijn nieuwe boek,' beet ik hem toe. 'En dat heb jij nu verpest! Ik hoop dat je er blij om bent.'

Hoofdschuddend liep ik verder.

Helmut bleef naast me lopen. 'Daar leek het anders niet op,' mompelde hij. 'Je zei dat hij aan je had gezeten, ik heb het zelf gehoord.'

'Jij had je er gewoon niet mee moeten bemoeien.'

'Maar moet ik dan maar lijdzaam toezien hoe mijn eigen vriendin wordt belaagd door zo'n—'

'Je moet gewoon weggaan. En voor de laatste keer: ik bén je vriendin niet meer!'

Helmut zweeg.

Bij de roltrap hield ik stil. 'Luister,' zei ik, 'ik ga nu deze kant op. En jij niet. Is dat duidelijk?'

Hij pruilde. 'Maar ik moet je in de gaten houden, *Schatzi*. Snap je dat dan niet? Ik heb weer naar de astrolijn gebeld vanmorgen en ze zeiden dat jij een ongewone ontmoeting zou meemaken. Dat vertrouw ik niet, Jill! Je hebt mij nodig om je te beschermen!'

'Het enige wat ik nodig heb is rust. Jij belemmert me in mijn werk. Ga weg.' Ik stapte op de roltrap, die onder mijn voeten vanuit de slaapstand tot leven kwam.

Achter me zuchtte Helmut theatraal.

* * *

Zoals ik al verwachtte trof ik Johannes aan bij de Erasmuszaal. Hij zat op een van de stoelen en stond op toen ik aan kwam lopen.

'Jill,' zei hij hartelijk. 'Ik dacht net aan je. Hoe gaat het, lukt het een beetje?'

We gingen zitten. Ik vertelde hem over mijn eerste poging en de grandioze mislukking ervan. Mijn stem verried teleurstelling.

Johannes knikte. 'Alle begin is moeilijk,' zei hij. 'Maar laat je niet uit het veld slaan, hoor. Het is belangrijk dat je niet opgeeft, uiteindelijk gaat het je lukken.'

'Maar kun je me misschien een tip geven, of zo? Waar liggen bijvoorbeeld de meeste kansen? Zo veel stelletjes zijn er niet te vinden in dit gebouw. Is er niet een bepaalde verdieping waar ik het beste naar ze kan zoeken? Jij weet dat vast wel, want ik hoorde dat je hier al heel lang komt. Het lijkt zo'n onmogelijke opgave...'

'Dat zijn nogal wat vragen. Maar ook ik weet niet alles, Jill. Geloof je zelf ook niet dat ik je anders al lang had geholpen?'

'Daar heb je gelijk in,' gaf ik toe.

'Maar falen is geen optie,' zei hij beslist. 'Het heeft al te lang geduurd. We moeten doorgaan en zegevieren.'

Met de opbeurende woorden van Johannes in mijn hoofd toog ik met de roltrap omhoog. Hij had gelijk: falen was geen optie. Ergens hier in dit reusachtige gebouw was vast wel een stelletje te vinden. En op de vierde was het ineens redelijk druk, er bevond zich een flink aantal meer mensen dan daarnet. Misschien was het nu slechts een kwestie van goed om me heen kijken, en dan—

'Hij heeft jouw bloem geplukt, of niet soms!' De stem siste in mijn oor, en in een reflex sloeg ik ernaar alsof het een insect was. Voordat ik hem kon raken had Helmut mijn hand al gegrepen en hield die stevig vast. Hij stond achter me en hield zijn gezicht dicht bij mijn hoofd. 'Geef het maar toe!' blies hij.

Met een ruk trok ik mijn hand los en liep door. 'Doe niet zo debiel. Ik dacht trouwens dat je weg was.'

'Dat hóópte je! Zodat jij alleen kon zijn met je seniorenschatzi! Ik zag je wel, hoor, gezellig samen aan een tafel. Je dóét het met hem, ik weet het zeker!'

Ik draaide me om. Op zijn gezicht wees niets erop dat hij een grapje maakte. 'Man, je bent nog gestoorder dan ik dacht.'

Helmut blies en snoof tegelijkertijd. Hij stampte met zijn voeten op de grond. 'Mij kun je niet voor de gek houden, Jill!'

'Helmut, oprotten nu. Ik sta op het punt iets belangrijks te doen, en als jij het nu wéér verpest, dan word ik gek.'

Hij zei niets. Langzaam sloeg hij zijn armen over elkaar.

'Luister, je gaat nú weg of ik roep de beveiliging en ik laat je eruit zetten.'

Helmut schaterde een harde, onnatuurlijke lach, die zijn mond scheeftrok. 'Is dat alles wat je kunt verzinnen, Jill? Na al die jaren samen? Me er gewoon uit laten zetten, zoals ik blijkbaar ook moeiteloos uit jouw hart ben verwijderd? Zodat jij vervolgens smakeloos je gang kunt gaan met die bejaarde rimpelkont?!'

Een jonge vrouw die met een klein meisje aan de hand voorbijliep, wierp ons een afkeurende blik toe en versnelde haar pas. Het meisje keek over haar schouder nieuwsgierig om terwijl ze werd meegesleept door haar moeder. Ze had donker haar en ik slikte. Zou mijn kindje er zo hebben uitgezien, over een jaar of vier? Als ik—

'Jill!' krijste Helmut.

Ik zuchtte. Demonstratief keerde ik hem mijn rug toe en liep met grote stappen weg.

Bij het Nieuwscentrum op de eerste verdieping stond een bejaard stel bij de pilaren met kranten. Het was hetzelfde echtpaar dat ik eerder vanmiddag had gezien toen ik bij de ingang bijna tegen ze op was gebotst. Ze leken de tachtig gepasseerd, al zag de vrouw er met haar bruingeverfde krullen nog goed uit. Maar beiden hadden ouderdomsvlekken en rimpels in het gezicht, en hun rug was licht gebogen. Toen ik ze passeerde pakte de man een dagblad en ging aan een van de tafels zitten. Hij bladerde door de krant terwijl zijn vrouw geduldig naast hem ging zitten en met een zakdoek haar brillenglazen oppoetste. Ik liep door, naar de informatiebalie.

Dezelfde vrouw die mij gewaarschuwd had voor Johannes keek op van een lijst op haar bureau. 'Jill,' zei ze verrast.

'Ik wil graag een klacht indienen over iemand die mij hier lastigvalt.'

Een triomfantelijke blik verscheen in haar ogen. 'Dus toch? Ik was er al bang voor, ik heb namelijk altijd al een raar gevoel gehad bij die man. Zal ik—'

'Nee,' onderbrak ik haar. 'Hem bedoel ik niet. Ik heb het over de persoon die nu waarschijnlijk een paar meter achter me staat.'

De vrouw was in verwarring, maar toen ze achter me keek, draaide ik me om en zag daar inderdaad Helmut staan. Hij was me gevolgd en stond een eindje verderop. Verbaasd keek hij terug.

'Hij is een lastige ex die weigert me met rust te laten,' legde ik uit. 'Ik ben hier vandaag voor mijn werk, en hij loopt me daarbij verschrikkelijk bij in de weg. Ik zou het echt op prijs stellen als iemand hem zou kunnen vragen te vertrekken.'

'Maar wij kunnen niet zomaar iemand verzoeken de bibliotheek te verlaten,' zei ze verontschuldigend. 'Dit gebouw is voor iedereen toegankelijk. Aan zoiets moet altijd eerst een waarschuwing voorafgaan, van een van onze beveiligingsmedewerkers.'

Ik haalde mijn schouders op. 'Ook goed,' zei ik. 'Als het maar helpt. Want ik ben niet de enige die last heeft van zijn aanwezigheid.'

'Ik zal meteen even bellen. Het kan wel even duren, want er heerst nog een beetje chaos beneden vanwege een tragisch voorval in het damestoilet. Maar ik ga het regelen voor je.'

Ik bleef niet wachten maar liep naar de lift en drukte ongeduldig op de knop om hem te laten komen. Als Helmut het nog één keer in zijn hoofd haalde om mijn opdracht te saboteren, dan stond ik niet voor mezelf in. De liftdeuren schoven open. Voor de zekerheid keek ik om, maar Helmut was nergens meer te bekennen. Ik stapte de lift in, en om Helmut voor alle zekerheid op een dwaalspoor te zetten liet ik me naar de zesde verdieping brengen, naar het muisstille stadsstudiecentrum, om vervolgens met de roltrap terug naar de vierde te reizen.

Net als de vorige keren werd ik op de vierde verdieping vrolijk begroet door de franje van honderden dvd's die een kleurrijke wand vormden bij het raam. Via paden met boeken, stoelen en tafels kwam ik op de muziekafdeling terecht. Ik struinde door het klassieke gedeelte, speurend naar een koppel, toen er een paar meter naast mij ineens twee stemmen klonken. Ik keek opzij. Een man en een vrouw, beiden rond de vijftig, waren verwikkeld in een heftig gesprek. Ze gingen steeds harder praten, en de man maakte er verhitte armgebaren bij. Zo onopvallend mogelijk ging ik bij ze in de buurt staan en snuffelde nonchalant tussen het grote aanbod bladmuziek.

'Luister, Gerda,' zei de man, 'het enige wat ik wil zeggen is dat ik dit er niet ook nog eens bij kan hebben. Ik heb al genoeg aan mijn hoofd. Je weet hoeveel spanning er momenteel is op kantoor, met dat nieuwe invoerprogramma en al die dingen. In mijn privéleven wil ik gewoon rust.'

'Kom dan weer gewoon vanuit huis werken, net als eerst!'

'Hoe kun je nou zoiets stompzinnigs zeggen? Alsof ik me kan concentreren thuis, met die herrie van die trompet de hele dag onder ons!'

De vrouw die Gerda heette zuchtte. 'Eerst had je slapeloze nachten over het feit dat jullie ineens de pauzes moesten gaan bijhouden met een prikklok. Toen ontstond er stress over de remsporen in de toiletpot waar niemand iets vanaf wist. Vorige week kon je de hele avond over niets anders praten dan over de nieuwe stagiair die pakken chocomel uit de bedrijfskoelkast mee naar huis neemt, en nu maak je je druk over een computersysteem!

Als je zo doorgaat dan zit je binnen de kortste keren overspannen thuis en dan heb je alsnog last van die trompet.'

De man kreeg een rood hoofd. 'Mens, je begrijpt het niet! Het enige waar jij je in het leven mee bezig hoeft te houden zijn je Blokkerdukaten, of je zegelboekjes van de slager! Je hebt geen idee wat ik moet doorstaan en wat die stagiair ons allemaal flikt. Het is heus niet alleen de chocomel, hoor, hij jat van alles, en al die spullen gebruikt hij op de camping! Glazen, bestek, zelfs de plastic bordjes die we in de voorraadkast hadden staan zijn verdwenen. En ik had het je nog niet verteld, maar 's avonds, wanneer iedereen al lang weg is, laat die Arjan zichzelf samen met zijn vriendje naar binnen en dan hangen ze de hele avond compleet laveloos over de bureaus heen! Te blowen! Ewoud heeft ze zelf gezien toen hij van de week 's avonds terug naar de zaak moest omdat hij iets was vergeten. Het zag er helemaal blauw, hij kon zijn ogen niet geloven!'

'Je bent een ouwe zeikerd aan het worden, Koos.'

De rode kleur breidde zich uit naar zijn nek. Hij opende zijn mond, sloot hem weer, en gaf toen met vlakke hand een enorme mep tegen de boeken die voor hem stonden. Eén ervan viel open op de grond: een boek met zwart-witfoto's van Elvis in militaire dienst. Iemand had met rood viltstift een groot hart om een van de foto's getekend.

Gerda zuchtte. 'Kijk nou wat je doet.'

'Ik heb er genoeg van. Genoeg!' Er parelden zweetdruppeltjes op het voorhoofd van de arme Koos, en zijn stem sloeg over. 'Dat eeuwige gezeur van jou! Gek word ik ervan! Ik kan thuis niet eens rustig mijn neusharen uittrekken zonder dat jij er meteen met de veger en blik achteraan komt zwalken. En zelfs hier, waar we nota bene zijn voor jóú, omdat jij ineens op het idee kwam om te kijken of ze hier toevallig dat boek over Dolly Parton hebben, kun je het nog steeds niet laten om op alles wat ik zeg en doe commentaar te leveren. Hou toch gewoon eens je kop, vrouw!'

Gerda deed een stap naar achteren. 'Wat hebben je vieze lange neusharen hier nou weer mee te maken?'

Koos hief zijn armen in de lucht. 'Dit bedoel ik! Zie je wel? Je begrijpt me niet! Je wílt me niet begrijpen. Ik ga weg, je zoekt het maar uit.'

Gerda was bleek geworden.

Ik hield mijn adem in. *Alles hing nu af van haar reactie.* Als zij mild kon zijn en hem gelijk gaf, als ze zou zeggen dat het haar speet, of als ze dat gedeelte desnoods helemaal oversloeg en hem gewoon meteen een kus gaf, dan zou alles in één klap in orde zijn. Voor iedereen. Dan was de vloek opgeheven, en zelfs zonder dat ik de situatie had hoeven manipuleren. Met mijn nagels drukte ik hard in de kaft van de bladmuziek. *Kom op*, spoorde ik de vrouw in gedachten aan. *Kus je man*!

Maar Gerda maakte geen enkele aanstalten in die richting. In plaats daarvan stootte ze een geluid uit dat leek op het briesen van een paard, en ze liep verontwaardigd weg. 'Zoek jíj het maar uit, Koos,' snauwde ze over haar schouder. 'Je bent toevallig niet de enige die er schoon genoeg van heeft.'

Koos vloekte binnensmonds, maar volgde haar toch.

Het Elvis-boek bleef achter op de vloer. Ik zette het terug en zag nog net hoe het stel de hoek om verdween. Ik moest achter ze aan. Ze mochten het gebouw niet verlaten voordat ze zouden doen wat nodig was! Het was al bijna vijf uur: ik kon het me niet veroorloven om kansen te laten liggen. Bovendien waren deze mensen al zo'n eind op weg: het eerste deel, de ruzie, had al plaatsgevonden. Nu was het aan mij om voor de tweede akte te zorgen.

Snel volgde ik ze en ik zag dat ze achter elkaar op de roltrap naar beneden stonden, waar ze stug en zwijgend door het grote raam naar buiten keken.

Ik liep de treden af tot ik achter de man stond. 'Koos,' zei ik.

Verbaasd keek hij om.

Ik glimlachte hem vriendelijk toe. 'Ik vind dat jullie elkaar een kus moeten geven,'

Ook Gerda keek om. De roltrap was beneden gekomen en een voor een stapten we eraf. We stonden stil, en vragend keken ze me aan.

'Sorry?' zei de man.

'Geef elkaar een kus,' zei ik nogmaals, en ik hoorde zelf hoe idioot het klonk. Maar wat kon ik anders? Deze mensen waren op weg naar de uitgang, ze zouden de bibliotheek verlaten en deze kans vergooien: er was simpelweg geen tijd om na te denken over een slimmere aanpak.

De vrouw staarde me aan alsof ik gek was. 'Pardon?'

'Ik bedoel: om jullie meningsverschil bij te leggen,' legde ik uit. 'Een zoen om het weer goed te maken. Kom op!'

Gerda keek me ongelovig aan, maar de man rolde met zijn ogen en wees naar zijn voorhoofd. 'Ga jij maar lekker zelf iemand zoenen,' zei hij tegen me, 'in plaats van de privégesprekken van mensen af te luisteren. Heb je niets beters te doen, of zo?' Hij zette zijn voeten op de volgende roltrap en wenkte zijn vrouw. 'Kom mee.'

Samen verdwenen ze naar beneden, en ik hoorde Gerda lachen. De ruzie leek vergeten.

***

Ik bleef achter bij de roltrap. Andere bibliotheek-
bezoekers, op weg naar boven of naar beneden,
passeerden me. Buiten vlogen een paar grote witte
stadsmeeuwen voorbij, hun vrijheid even oneindig
als de lucht. En bij het hoge gebouw aan de over-
kant, dat van onder tot boven in de steigers stond,
hadden de bouwvakkers hun werk voor de dag
neergelegd.

Ik zuchtte. Alweer een poging die uitgelopen was
op een fiasco. Pakte ik het dan zo verkeerd aan?
Maar hoe moest het dan wel? Wat ik in ieder geval niet mocht doen was opgeven. Het zou vanzelf
een keer goed gaan, dat had Johannes immers gezegd. En tot nu toe was alles wat hij had voorspeld
uitgekomen. Ik had gewoon de verkeerde mensen
uitgekozen, dat was alles. Op naar de volgende poging. Vallen en opstaan, meteen weer in het zadel
springen en doorgalopperen. Zonder teugels, zonder beugels, eenvoudigweg kijken waar het dier me
brengen zou. Ik rechtte mijn rug en stapte op de roltrap naar beneden.

Op de tweede verdieping waren drie kleine kinderen aan het spelen. Hun schaterende gelach steeg
op om zachtjes neer te strijken op de gezichten van
de twee jonge moeders die erbij zaten en met een
glimlach naar hun kroost keken. Ze zagen er gelukkig en zorgeloos uit, en even bleef ik staan om naar

ze te kijken. Toen wendde ik resoluut mijn blik af en liep door. Het had geen zin om mezelf nu, voor de duizendste keer, te kwellen met het besef dat ik er over een paar jaar ook zo bij had kunnen zitten. Ik moest het van me afzetten, er viel niets meer aan te doen.

Bij de afdeling poëzie zat een man onderuitgezakt in een van de ruime blauwe fauteuils. Hij droeg een gevlekte spijkerbroek, had vet haar en was bezig een sjekkie te draaien. Zijn handen waren groen uitgeslagen van tatoeages die hun beste tijd hadden gehad. Om hem heen hing een walm van alcohol, en in zijn ongeschoren gezicht staarden zijn waterige ogen naar het tabak tussen zijn vingers. Boeken lagen er niet. Voor de zekerheid bekeek ik de omgeving om hem heen, maar een vrouw was er niet te bekennen.

Ik liep verder.

Eén etage hoger, op de derde, waar ik de Erasmuszaal vermeed omdat ik Johannes pas weer wilde spreken als ik hem kon vertellen dat het me was gelukt, zag ik op de afdeling Geschiedenis eindelijk een jongen en een meisje samen aan een tafel zitten. Ze zagen eruit als studenten en er lagen studieboeken tussen hen in. Het meisje had een bril op en de jongen bladerde door een van de boeken.

Met een gespannen tinteling in mijn buik liep ik op ze af, tot ik vanuit mijn linkerooghoek iemand wuivend op me af zag komen. Een zwaarlijvige man, zijn hand enthousiast in de lucht. Hij was kaal en had een dikke snor.

Ik stond stil.

Toen de man bij me was gekomen lachte hij opgetogen. Zijn kale hoofd glom. 'Hoi!'

'Hallo.' Ik keek hem vragend aan.

'Jij bent toch die schrijfster? Jill Valens?'

Ik knikte, schonk hem een korte glimlach en liep verder.

Maar hij ging voor me staan en blokkeerde mijn weg. 'Ik heb al je boeken gelezen!' Zijn snor krulde blij op en hij stak zijn hand uit. 'Gerbrand is mijn naam.'

'Hallo, Gerbrand.' Vriendelijk schudde ik zijn hand. 'Wat geweldig dat je mijn boeken leest! Vooral blijven doen, hoor! Nu moet ik helaas verder.' Ik deed een stap opzij om langs hem heen te kunnen kijken. Het stelletje waar ik het op had gemunt, was bezig de boeken in hun tassen te stoppen en maakte aanstalten om weg te gaan. Shit. Ik moest zorgen dat ik bij ze was voordat—

'Zie je wel!' Een zwetende Helmut dook plotseling op. Hij wees beschuldigend naar de dikke man die bij me stond en die me nog steeds verheugd aanstaarde. 'Dus híj is het? Dit vadsige schepsel? Nu komt dan eindelijk de aap uit de mouw. Jij gebruikt de bieb om stiekem met je nieuwe minnaar af te spreken, en die oude man van eerder was gewoon een sluwe afleidingsmanoeuvre om mij op het verkeerde spoor te zetten!' Met zijn priemende wijsvinger prikte hij in de vlezige borst van Gerbrand, die een stap achteruit deed en geschokt van mij naar Helmut keek. Zijn snor trilde nerveus.

'Vuile *Schmutzfink*!' tierde Helmut verder. ' Hij kneep zijn ogen samen en ontblootte zijn puntige tanden in een gestoorde grimas. 'Het stinkt hier naar *Giftnudel*!

'Helmut!' siste ik. 'Doe normaal. Deze man is een lezer van mijn boeken, dat is alles.'

Helmut snoof. 'Een lezer!' Hij keek naar de arme Gerbrand en lachte sarcastisch. 'Hij ziet eruit als iemand die al moeite heeft met het lezen van de *Donald Duck*. Jullie dóén het met elkaar, je hebt mij dus officieel vervangen!' Een spiertje in zijn kin schoot onrustig heen en weer, eerst zachtjes, toen steeds sneller. Het breidde zich uit naar zijn mond, zijn kaak, zijn wangen, tot uiteindelijk zijn hele gezicht tekeerging in een stuiptrekking van vertwijfeling. Tranen sprongen in zijn ogen. 'Je... hebt... mij... gewoon... keihard... *vervangen!*'

Gerbrand keek hem verbouwereerd aan. 'Meneer, ik weet werkelijk niet waar u het over hebt. Ik kan u verzekeren dat ik mevrouw Valens pas een minuut geleden heb ontmoet. Ik was zo aangenaam verrast om haar hier aan te treffen, dat ik op haar ben afgestapt. Dat is werkelijk alles, u moet mij geloven.'

Helmut sprong naar voren. 'Ik moet helemaal niets!'

Aan de andere kant van de afdeling, een paar meter achter Helmut en Gerbrand, had mijn doelwit
inmiddels de tassen dichtgeritst en over de schouders gehangen. Pratend liepen ze weg van hun plek,
zich volstrekt niet bewust van de glansrollen die ik
voor ze op het oog had gehad.

Vloekend schopte ik tegen de stoel die naast me
stond.

'Wat is er?' vroeg Helmut geschrokken. Hij volgde
mijn blik. 'Wat zie je daar?'

Gerbrand schraapte zijn keel. 'Eh, ik ga maar weer
verder, denk ik. Het was een grote eer je te ontmoeten, Jill.'

Helmut trok een gezicht. 'Ga maar snel mastur-
beren.'

Terwijl Gerbrand wegliep en nog één keer met
een verbijsterde blik naar Helmut omkeek, tierde ik: 'En nu ben ik het echt zat! Wanneer dringt
het tot je botte hersens door dat ik iets belangrijks
aan het doen ben? Je hebt geen idee hoe erg je alles
loopt te verzieken!'

'Maar ik doe toch niets,' sputterde Helmut. 'Ik wil
alleen maar zien wat je allemaal uitspookt. Je doet
de hele tijd zo geheimzinnig!'

Ik zuchtte en dempte mijn stem toen ik een man
bij het informatiepunt naar ons zag kijken. 'Heb je
net geen waarschuwing gekregen?'

'Van wie?'

'Van de beveiliging. Die zou jou opdragen mij

met rust te laten zodat ik ongestoord mijn werk kan doen.'

Helmut schudde zijn hoofd. 'Die mannetjes van beneden hadden het veel te druk met de nasleep van de hele toestand daar. Of heb je het niet gehoord? Op de begane grond heeft een meisje zichzelf van kant gemaakt in de wc! Wat een zooi! Overal bloed!'

'Wat doe je toch weer grof,' viel ik uit. 'En ze leeft trouwens nog, hoor.'

'Jill... wat wilde die vadsige pad van je? Viel hij je lastig, net als die schooljongen van daarnet? Want dan is het toch juist goed dat ik weer tussenbeide kwam?'

'Hou op! De enige die mij hier lastigvalt, dat ben jij. En ik wil jou nooit meer zien!'

'Maar je hebt wél een nieuwe vriend! Of niet? Zeg het me, ik heb het recht dat te weten!'

Even keek ik hem strak aan. Verwachtingsvol keek hij terug. En ineens wist ik hoe ik van hem kon worden verlost. 'Ja, ik heb een nieuwe vriend,' zei ik kalm. 'Een Brit. En hij is geweldig. We komen amper ons bed uit en doen het de hele dag door op z'n Frans, Grieks, Russisch, Italiaans, Japans en Oekraïens. Vanavond gaan we Scandinavisch eens proberen. Het is tijd om verder te gaan, Helmut.'

Helmuts gezicht verschoot van wit naar rood en terug. Hij hapte naar woorden, en uit zijn keel kwam een schorre kreet.

Weer liep ik weg en liet hem staan. Toen ik over

mijn schouder keek was hij verdwenen. Voorgoed, hoopte ik.

Om de hoek zag ik dat het studerende stelletje de bibliotheek niet had verlaten, maar gewoon een andere plek had uitgezocht. Vlak bij de Erasmus-zaal nota bene. Ze zaten aan dezelfde tafel waar ik met Johannes had gezeten, en ze hadden hun boe-ken weer opengeslagen. Johannes zelf was nergens te bekennen. Dat ik het koppel uitgerekend hier te-rugvond, was een voorteken, dat kon niet anders. Opgelucht deed ik alsof ik iets zocht in mijn tas, ter-wijl ik ondertussen de jongen en het meisje met een scheef oog in de gaten hield. Er liepen mensen langs hen. Een roodharig meisje gebruikte de kopieerma-chine een meter verderop en liep daarna neuriënd verder. Ze bestudeerden aandachtig hun boeken en hadden er uiteraard geen idee van wat hun stond te wachten; ze wisten niet eens dat ik ze in het vi-zier had. Dankzij hen was het einde van de vloek in zicht, het kon nu eigenlijk niet meer fout gaan. Ik wist vrijwel zeker dat zelfs Helmut het nu niet meer zou kunnen verpesten. Als mijn valse bewering succes had gehad, dan was hij beslist afgedropen.

Even wreef ik over mijn buik. De baby zou Hel-mut en mij voor altijd aan elkaar hebben verbonden, en dat had de doorslag gegeven in mijn beslissing. Maar was een Helmut-loos bestaan deze hoge prijs wel waard geweest? Als ik had geweten welke pijn er zou ontstaan door de verdwijning van een wezen dat in mij had gezeten, zou ik het nooit hebben gedaan. In mijn poging los te breken van Helmut had ik mijzelf ontdaan van het mooiste wat me ooit had kunnen overkomen.

Een plotselinge beweging in mijn gezichtsveld maakte me weer alert: het meisje was opgestaan. Met een portemonnee in de hand liep ze van tafel weg, haar vriend bleef achter.

Ik duwde mijn haar achter mijn oren en staakte mijn gepeins, het was tijd voor actie, dit ging het worden. Dat haar vriend bleef zitten betekende dat het meisje waarschijnlijk alleen maar even naar de wc ging of misschien iets te snacken ging halen. Ze zou binnen een paar minuten terug zijn, precies lang genoeg om mijn plan uit te voeren.

Het meisje was bij de roltrap en verdween naar beneden. Zo onopvallend mogelijk liep ik naar de jongen. Om op te gaan in de omgeving bestudeerde ik de rekken met boeken, liet mijn vingers erlangs glijden en stond hier en daar even stil om beter naar een boek te kijken of er één uit de kast te trekken. Ik liet mijn ogen over de achterkant gaan, bladerde wat, zonder echt te zien wat er stond, en zette het boek terug. In mijn handpalm hield ik een dubbelgevouwen briefje waarop ik met mijn meest vrouwelijke handschrift een naam (Amber) had geschreven met een telefoonnummer en een paar sierlijke xxx-jes erbij.

De jongen zag me niet, hij zat met een pen in zijn hand over het schrijfblok gebogen dat voor hem lag, en zijn andere hand rustte in het opengevouwen boek ernaast. Hij keek niet op toen ik hem voorbijliep, en ik deed nog steeds alsof ik op zoek was naar een specifiek boek.

Tersluiks keek ik om me heen. Iedereen was druk bezig met lezen of rondlopen, en niemand lette op mij. Snel en geruisloos hurkte ik neer en stopte het briefje in de zak van de bruinsuède jas die de jongen over zijn stoel had hangen. Voordat hij iets had kunnen merken, was ik opgeveerd en stond ik weer bij de boekenkast. Precies op tijd, want de jongen keek juist op om te zien of zijn vriendin er al aankwam. Toen hij haar niet zag en hij zijn aandacht weer op zijn boek richtte, liep ik naar de roltrap.

Ik had me opgesteld op de begane grond, bij de roltrap die naar boven ging. Vrijwel meteen zag ik haar. Ze had geen eten of drinken in haar handen, maar was blijkbaar alleen naar het toilet geweest. Toen ze op de roltrap wilde stappen, sprak ik haar vriendelijk aan. 'Hallo! Mag ik je even wat vragen?'

Verbaasd keek ze me aan en deed een paar passen naar rechts om de mensen achter haar erdoor te laten. 'Natuurlijk,' glimlachte ze.

Shit. Ze was aardig. Dat zou het moeilijker maken om uit te voeren. Maar het was voor een goed doel. En ik zou heus geen onherstelbare schade aanrichten. Haar vriend en zij zouden gewoon heel eventjes een wat minder leuk moment hebben, maar meteen daarna zou ik uitleggen dat er niets aan de hand was en dan konden ze het goedmaken. Werd er niet altijd gezegd dat het goedmaken van een ruzie een van de leukste onderdelen van een relatie was? En dat zouden ze aan mij te danken hebben.

Het meisje keek me vragend aan.

'Eh, jij hoort toch bij die jongen die boven zit?' begon ik maar. 'Die met die bruine jas?'

Ze knikte en meteen keek ze verontrust. 'Er is toch niets gebeurd, hè? Chris lijdt namelijk aan epilepsie. Hij heeft toch geen aanval gekregen? Hij heeft al bijna een jaar geen aanval gehad!' Ze deed een stap in de richting van de roltrap. 'Waar is hij?'

Ik ging voor haar staan. 'Hij is gewoon boven,' stelde ik haar gerust. 'Wacht maar even, er is niets aan de hand. Ik wilde je gewoon iets vertellen waarvan ik vond dat je het moest weten.'

'Dus hij is in orde?'

Ik knikte. 'Dit gaat heel ergens anders over.'

Toen ze me niet-begrijpend aanstaarde ging ik verder en sprak de tekst uit die nu helaas een stuk minder aannemelijk klonk dan dat hij een paar minuten geleden in mijn hoofd gedaan had. 'Ik heb wat ik jou nu ga vertellen zelf ook wel eens meegemaakt in een relatie, vandaar dat ik vind dat je er maar beter nu alvast achter kunt komen. Dan weet je tenminste hoe jouw Chris in elkaar steekt, begrijp je?'

Er verscheen argwaan achter haar brillenglazen. 'Wat probeer je te zeggen?'

'Nou, terwijl jij weg was kwam er een meisje naar hem toe en die heeft hem haar telefoonnummer gegeven. Hij zei toen dat hij haar zou bellen om snel iets af te spreken. Toevallig stond ik daar in de buurt om een boek te zoeken en toen hoorde ik het. En ik was natuurlijk verbaasd, omdat ik hem vlak daarvoor nog met jóú had gezien.'

Ze keek ongelovig. 'We zijn al zeven jaar bij elkaar, zoiets zou Chris niet doen.'

'Het spijt me,' zei ik. 'Ik vertel je alleen maar wat ik zag. En ik vond dat je het moest weten.'

'Je verwart mijn vriend met iemand anders.'

Ik schudde mijn hoofd. 'Nee, sorry.'

Ze stapte de roltrap op en ik ging achter haar staan. Terwijl ze zich naar me omdraaide, zei ze: 'Luister, ik weet niet wie je bent of waarom je dit doet, maar denk je nou echt dat ik dit verhaal geloof?'

Een meisje dat voor haar op de roltrap stond keek naar ons om.

'Wat zou ik ermee opschieten om dit te verzinnen?' reageerde ik. 'Ik wilde je helpen, dat is alles. Hij heeft het briefje in zijn jaszak gestopt, dus kijk daar maar in als je me niet gelooft.'

Even keek ze me aan, toen stapte ze van de roltrap af en stak met grote passen de eerste verdieping over. 'Ik weet niet wat dit voor zieke grap is,' mompelde ze, 'maar daar gaan we nu denk ik achter komen.'

Ze beklom de treden van de volgende twee roltrappen steeds sneller, en binnen een minuut waren we terug op de derde verdieping.

Haar vriend zat over zijn boek gebogen en keek op toen hij haar zag. Hij glimlachte. 'Ben je daar eindelijk weer. Was het zo druk bij de toiletten?'

Ik bleef een paar meter verderop staan en wachtte af wat er zou gebeuren.

Het meisje beantwoorde zijn vraag niet maar wees naar mij. 'Zij zegt dat jij net een date hebt lopen scoren terwijl ik beneden was. Met een of ander wijf dat jou haar telefoonnummer heeft gegeven!'

De jongen schoot in de lach. 'Wát?'

Het meisje rolde met haar ogen. 'Ja, ik vond het ook al een raar verhaal.'

'Ze zal me wel aanzien voor iemand anders,' zei hij. Hij haalde zijn schouders op en richtte zijn blik weer op het boek dat voor hem lag. 'Kijk, moet je trouwens eens zien wat ik net vond toen je weg was. Hier, onderaan deze bladzijde...'

'Ze zei dat je het het briefje in je jaszak hebt gestopt, Chris.'

'Ja, hallo, ze kan wel zo veel zeggen!' Hij keek naar me, nam mij in zich op. 'Ik heb haar in ieder geval nog nooit eerder gezien, dus hoe weet zij nou wat ik wel en niet doe!'

Het meisje wenkte me. 'Kom er eens bij als je wilt, dan kun je hem precies vertellen wat je net aan mij hebt verteld!'

Langzaam liep ik naar hun tafel toe. Chris keek me afwachtend aan. 'Het spijt me,' zei ik, 'maar ik vond dat ze het recht had om te weten waar je mee bezig bent.'

Hij lachte. Hoofdschuddend stond hij op. 'Wees eens eerlijk, Lisa, denk je nou echt dat ik zodra jij eventjes naar de wc gaat meteen opspring om op zoek te gaan naar een ander? Dat is het stomste wat ik ooit heb gehoord! Ik weet niet wie dit mens is, maar ze heeft ze duidelijk niet allemaal op een rijtje. Waarom luister je naar die onzin?'

Lisa twijfelde. 'Ze leek erg zeker van haar zaak...'

'*Pff!*'

Lisa sloeg haar arm om haar vriend heen en streek met haar vingers door zijn haar. 'Sorry, lieffie. Natuurlijk vertrouw ik je, dat weet je toch?'

'Fijn.' Zonder verder nog aandacht aan mij te besteden, ging Chris weer zitten en wees naar de bladzijde voor hem. 'Dus kijk, dit bedoelde ik. Hier staat precies beschreven waar jij het vanmorgen over had, ik heb het gevonden. Deze tekst kun je letterlijk overnemen!'

Lisa ging geïnteresseerd zitten en bestudeerde samen met hem de pagina. Alles was al vergeten voordat het zelfs maar was gebeurd.

Ik schraapte mijn keel en tegelijk sloegen ze hun ogen op. De jongen klakte geïrriteerd met zijn tong. 'Sta je daar nou nog steeds? Wat wil je van ons?'

Ik wendde me tot zijn vriendin. 'Laat je hem er

echt zo gemakkelijk mee wegkomen? Kijk maar eens in zijn jaszak, dan zie je met je eigen ogen dat ik gelijk heb.'

Even twijfelde Lisa. 'Goed,' zei ze toen. 'Maar ik doe het alleen om van jou af te komen, want we zijn druk bezig, zie je dat niet?'

Chris zuchtte luid terwijl Lisa met haar arm achter hem langs reikte en in zijn jaszak voelde. Met een triomfantelijke glimlach ging ze weer goed zitten. 'Daar zit niets, hoor. Alleen zijn sleutels en zijn telefoon. Dus nu kun je gaan.'

'Ik zei het toch,' mompelde Chris. 'Ze is in de war, dat zie je zo. Ga er nou verder niet op in, Lies. We hebben wel wat beters te doen.'

'Heb je al in die andere zak gekeken?' drong ik aan, 'want dan weet je het pas zeker!'

Chris sloeg met zijn vuist op tafel en stond weer op. 'Luister, ik weet niet wie je bent of wat je van ons wilt, maar hier zit ik niet op te wachten. Val ons niet lastig met je bullshit!'

Ik bleef staan en hield me kalm. 'Ik zal gaan zodra zij in jouw andere zak heeft gekeken. Ik laat me niet uitmaken voor leugenaar.'

'Chris, laat maar gaan,' wuifde Lisa tegen haar vriend. 'Ik kijk er gewoon even in en dan is zij ook weer blij en zijn we van haar af. Oké?'

'Nee, niks oké!' Chris schudde zijn hoofd. 'Fuck it! Ik wil het niet! Kappen nou! Waarom wil jij meedoen aan dit debiele spelletje?'

Lisa hield haar adem in. 'Wíl je soms niet dat ik in je jaszak kijk?'

'Jezus christus, Lies, begin jij nou ook al! Goed, kijk er maar in. Fucking shit, zeg. Dit had ik echt niet van jou verwacht. Je kunt kijken, en daarna ga ik weg. Ik heb het helemaal gehad. Je maakt dat kutverslag verder zelf maar.'

Langzaam liep Lisa om hem heen en boog zich voorover om in zijn andere jaszak te voelen. Toen ze weer rechtop ging staan keek ze verbaasd. In haar hand lag een dubbelgevouwen papiertje.

Chris vloekte. 'Wat is dat?' Hij rukte het briefje uit haar handen. 'Laat zien.'

Lisa griste het papiertje terug en vouwde het open. Ze schrok. Haar ogen flitsten van mij naar haar vriend, naar het papiertje en toen om zich heen. 'Oké, waar is ze?'

'Wie?'

'Ja, hallo, wie dénk je? Die slet van wie dit gore telefoonnummer is natuurlijk!' Ze gooide het papiertje op tafel. 'Waar heb je haar zo snel gelaten?'

Chris staarde naar het briefje. Rustig zei hij: 'Lies, ik zweer je dat ik niet weet wat dit is. Ik ken geen Amber. Het enige wat ik weet is dat iemand mij er enorm probeert in te luizen.'

Lisa zweeg.

'Lisa! Dat is de waarheid en je moet me geloven. Kom op, zeg. Er is hier iemand grandioos met me aan het fucken, en als ik erachter kom wie het is, dan breek ik zijn nek.'

Lisa keerde zich naar mij. 'Hoe zag ze eruit, dat meisje? Loopt ze hier nog ergens rond?'

Ik keek om me heen. 'Ik zie haar niet meer. Maar ze was blond, een beetje mollig...'

'Fuck, Lies, je weet net zo goed als ik dat ik niet op blond val,' zei de jongen. 'Je ziet toch zeker zelf ook wel dat dit een of andere debiele grap is, of niet?'

De waarheid lag op het puntje van mijn tong en duwde ongeduldig tegen mijn lippen. Maar ik klemde mijn kaken op elkaar. Het was nog niet het juiste moment, het was te vroeg. Timing was alles, ik moest wachten. Want dit was eigenlijk nog geen echte ruzie te noemen, en Johannes had duidelijk gezegd dat de kus na een ruzie moest plaatsvinden. Dit gesprek was nog niet zover: het bevond zich nog in het stadium van een discussie en moest eerst escaleren. Aangewakkerd worden.

'Hij zei tegen haar dat ze maar beter snel weg kon gaan,' zei ik ernstig tegen Lisa, 'zodat jij haar niet zou zien.'

Lisa kneep even haar ogen dicht. Een ader op haar voorhoofd klopte nerveus. Ze sloeg een voor een de boeken dicht. De armbandjes om haar pols rinkelden.

Haar vriend vloekte. 'Weet je wat? Fuck jou en deze shit als je mij niet gelooft.' Met een wild armgebaar greep hij zijn jas en liep weg, zijn mond was vertrokken tot een dunne streep.

Lisa zei niets en bleef verward achter, bevroren in

haar beweging. Met vochtige ogen keek ze Chris na. Toen wendde ze zich tot mij. 'Ik snap niet—'

'Luister,' onderbrak ik haar. Ik legde mijn hand op haar arm. 'Het was niet waar wat ik zei. Alles was nep. Het was onderdeel van een onderzoek om te zien hoe goed jonge mensen elkaar tegenwoordig nog vertrouwen. Het spijt me dat ik een probleem heb veroorzaakt. Maar nu je dit weet kun je hem snel achterna, toch? Dan kun je het goedmaken met een kus voordat hij echt weg is!'

Met open mond keek ze me aan. 'Ben je nou serieus?'

Ik knikte.

'Maar dat briefje dan? Ik zag het zelf, het—'

'Dat heb ík in zijn jaszak gestopt.'

Langzaam werden haar ogen groot. Haar stem schoot omhoog. 'Weet je wel wat je hebt aangericht?'

'Maak het dan goed met hem!' moedigde ik haar aan. 'Vlug! Leg het uit, dan is er niets meer aan de hand!'

Langzaam stond Lisa stond op. Ze ging recht voor me staan en boorde haar ogen in de mijne. Toen gaf ze me met haar vlakke hand een rake klap in mijn gezicht. 'Bitch.'

***

Zelfs toen ik weer op de begane grond was brandde de handafdruk nog op mijn wang. Ik liet mijn blik naar de uitgang dwalen, naar de deur waardoor de verontwaardigde Lisa zojuist naar buiten was verdwenen. Haar vriend had naast de ingang op haar staan wachten en samen waren ze vertrokken. Lisa had hem iets verteld en hij had omgekeken, leek aanstalten te maken om terug te lopen, maar. Lisa had haar hoofd geschud en hem aan zijn arm meegetrokken tot ze uit het zicht waren.

Ik wreef over mijn wang en ik staarde naar de draaideur, de poort naar de buitenwereld die zich op een paar meter afstand van mij bevond. Zodra ik door de uitgang liep zou ik de bizarre gebeurtenissen van vandaag achter me kunnen laten en stoppen met deze vreemde missie. Ik zou gewoon lekker naar Eddy's flat gaan en het gedoe met Ysabella en de brief vergeten. Waarom was uitgerekend ik de persoon die de vloek moest verbreken? Ik had er niet eens wat mee te maken, ik was alleen maar per toeval op het pad van Rebecca en als gevolg daarvan op dat van Johannes gekomen. Hij kon deze klus veel beter aan iemand anders overlaten, iemand die er wél in zou slagen het tot een goed eind te brengen. Met mijn gestuntel schoot helemaal niemand iets op, ik had mijn best gedaan maar het ging gewoon niet.

De grote klok gaf aan dat het al zes uur was geweest, het was de hoogste tijd om ervandoor te gaan. Ik werd geacht een boek te schrijven, Xander Uitgevers zat te wachten op mijn manuscript! Het sloeg nergens op dat ik hier rondhing en allerlei rare acties ondernam om mee te werken aan wat misschien niets meer was dan een hersenspinsel van een verwarde oude man.

'Laat iemand anders zich er maar mee bezighouden,' mompelde ik tegen mezelf. 'Ik ben weg.'

'Weet je dat wel zeker, Jill?' Johannes was geruisloos achter me komen staan. Hij schudde zijn hoofd toen ik me naar hem omdraaide. 'Geef je het echt zo snel op?'

Ik zuchtte. 'Luister, Johannes, ik vind het echt een heel treurig verhaal dat je me hebt verteld, en ik heb zoals je waarschijnlijk wel weet verschillende pogingen ondernomen om je te helpen, maar hier houdt het op. Het lukt me gewoon niet. Iedere keer als ik iets probeer, pakt het helemaal verkeerd uit. Dus het spijt me, maar ik kap ermee.'

Johannes keek me zwijgend aan.

'Ik heb mezelf belachelijk lopen maken,' ging ik verder, 'allemaal met het doel om verliefde mensen ruzie met elkaar te laten krijgen en het dan weer goed te maken, maar het mislukte steeds. Godzijdank hebben die mensen me niet herkend. Ze zijn boos op me, en terecht. En los daarvan word ik hier ook nog eens gestalkt door mijn geflipte ex, en er ligt thuis een half voltooid manuscript op me te wachten dat binnenkort af moet zijn en waar ik echt naartoe moet!'

'Zou je zomaar zijn weggelopen? Zonder het eerst tegen mij te zeggen?' Johannes klonk gekwetst.

Ik kleurde. 'Ik hoop dat je begrijpt dat ik domweg geen tijd meer heb voor dit spelletje.'

'Dit spelletje,' herhaalde hij langzaam. Hij wreef met zijn hand over zijn baard en keek me diep in mijn ogen. 'Zeg eens eerlijk, Jill: zie ik eruit als iemand die spelletjes speelt?'

'Nee, en dat bedoel ik ook niet, maar...'

'En toen jij Rebecca zag huilen en je op haar afstapte, waarom was dat? Weet je dat nog?'

Ik haalde mijn schouders op. 'Weet ik het? Dat ging vanzelf. Ze had verdriet en ik wilde helpen. Dat zou iedereen hebben gedaan.'

Johannes knikte. 'Precies. Je wilde haar helpen. Maar om de een of andere reden wil je dat nu niet meer?'

'Ja, natuurlijk wil ik dat nog wel! Maar ik denk niet dat ik dat kan! Want wat kan ik nog voor haar doen dan? Ze ligt nota bene in het ziekenhuis! Op de zelfmoordwacht, of observatie, of weet ik hoe zoiets heet. En er is echt niets wat ik daar aan kan veranderen.'

'Juist wél, Jill. Dat heb ik je toch uitgelegd?' zei hij rustig. 'Als de vloek niet wordt verbroken, dan zal ze alsnog sterven. Net als Ysabella en net als al die andere meisjes, door de eeuwen heen op deze datum in het verleden en in de toekomst. Rebecca heeft even uitstel gekregen, maar alleen voor vandaag. Die extra tijd is onze kans en die moeten we benutten! Maar... de keuze is natuurlijk aan jou, Jill. Je bent niemand iets verplicht.'

'Ja, nu probeer je me een schuldgevoel aan te praten, terwijl ik niet eens weet of je de waarheid spreekt.'

'Kijk in je hart en je weet dat het waar is. Vanwaar opeens deze twijfel? Omdat het de eerste paar keer niet is gelukt? Winnaars haken nooit af, Jill. En afhakers winnen nooit.'

'Nu klink je net als mijn vader.'

Even glimlachte hij. 'Maar snap je dat het lot van Rebecca in jouw handen ligt?' vroeg hij dringend. 'Het is belangrijk dat je dat beseft.'

'Maar waarom ligt haar lot in míjn handen? Waarom niet in die van jou, of van die vrouw die daar loopt, of van wie dan ook? Waarom vraag je het niet gewoon aan iemand anders? Iemand die het ongetwijfeld veel beter kan dan ik!'

'Omdat de vloek—'

'Ik word gek van die vloek,' viel ik uit, harder dan mijn bedoeling was. Een paar voorbijgangers keken nieuwsgierig opzij. 'Ik vind het een heel onlogisch verhaal. Alsof ík ervoor kan zorgen dat Rebecca blijft leven. Daar zijn ze in het ziekenhuis veel beter in, hoor. Je overschat me gruwelijk.'

Johannes sprak zo zacht dat ik hem nauwelijks verstond. 'Ze zal een tweede poging doen, Jill, en deze keer zal het haar wel lukken. Het is het gevolg van een gebroken hart: de kracht van de vloek!'

'Maar die Kevin dan? Die leeft toch ook nog, zei je?'

'Kevin ligt op de intensive care. Vandaag zal blijken of hij het redt of niet, en ook dat hangt samen met—'

'Ja, met de vloek,' maakte ik zijn zin af. Ik zuchtte. 'Dat weet ik nu wel.'

'Dit is jouw kans om iets goeds te doen, Jill. Denk alsjeblieft goed na voordat je zomaar wegloopt.'

'Zomaar?! Ik weet niet of je het hebt gezien, maar ik heb toch echt geprobeerd om je te helpen. Een aantal keren, zelfs. Maar het mag niet zo zijn! Helaas! Ik ben er niet de juiste persoon voor, waarom zie je dat niet? Ik maak het allemaal alleen maar erger.'

'Je bent er wél de geschikte persoon voor.'

Ik schudde mijn hoofd. Opeens duizelde alles me. Waarom meende deze man zo goed te weten wat voor soort persoon ik was, terwijl ik dat sinds vorige week zelf niet eens meer wist? Ik was een vreemde voor mezelf geworden. Door afstand te doen van mijn baby was er een breuk ontstaan tussen mijn oude zelf en mijn nieuwe zelf die ik niet kende. Wie was ik eigenlijk?

Johannes legde zijn hand op mijn schouder. Het leek bijna alsof hij zijn kalmte via zijn hand aan mij overdroeg. 'Kijk in je hart, Jill. *Voel*. Luister niet naar de puinhoop in je hoofd, dat zijn slechts mentale constructies. Focus je op de stem van je gevoel om te weten wat je te doen staat.'

'Hoe weet jij dit allemaal? Dat Rebecca in het ziekenhuis ligt, en Kevin ook, en hoe—'

'Dat is nu niet belangrijk.'

'Maar ík vind van wel. Ik wil weten hoe het kan dat jij—'

'JILL!' Achter me klonken zware naderende voetstappen op de roltrap.

Ik draaide me om en zuchtte luid. Niet wéér.

Helmut kwam naar beneden stampen en liep met grote passen op ons af. Ook Johannes zuchtte. 'Die man is een stoorzender.'

'Jill,' bracht Helmut zwaar ademhalend uit toen hij bij me stond. '*Schatzi*, ik heb naar je geluisterd en ik heb je even met rust gelaten, heb je het gemerkt? Ik ben bijna een uur lang weggeweest! En ik heb nagedacht over mijn fouten, Jill. Je hebt gelijk! Ik zie het nu in! Dus als je heel even naar me zou willen luisteren—'

'Nee, Helmut. Jij gaat nu even naar míj luisteren.' Ik haalde diep adem en plaatste mijn handen in mijn zij. 'Jij verlaat de bieb en je komt niet meer terug. Je gaat naar buiten. Nu.'

'Maar ik wíl niet naar buiten! Ik ben daar net geweest, Jill, en voor mij is de de wereld zonder jou niets meer dan een mengelmoes van zwakzinnigen die eruitzien alsof ze poeplepra hebben. Ik wil er helemaal niets mee te maken hebben, niets! Ik wil met jóú zijn, in onze eigen wereld! En nergens anders!'

'Jij en ik hébben geen eigen wereld, Helmut! Je gaat weg, zodat ik mijn werk kan doen. Begrepen?'

Helmuts smekende masker viel van zijn gezicht en het masker van onbegrip kwam tevoorschijn. 'Je wérk kan doen?' echode hij. 'Noem je dat werk?' Hij wapperde met zijn handen in de richting van Johannes. 'Dat smerige gedoe met deze vieze oude man is al aan de gang sinds ik je vanmiddag aantrof, en dat noem jij wérk!' Er lag wit schuim op zijn lippen. 'Je denkt écht dat ik gek ben, hè?'

Johannes schraapte zijn keel.

Ik verhief mijn stem. 'Helmut, je hebt twee keuzes: óf je gaat uit eigen beweging weg, óf ik laat je er door een beveiligingsmedewerker uitzetten. Zeg jij het maar.'

'Ik ga helemaal nergens meer heen! Ik blijf hier net zo lang totdat jij met mij meegaat. Kom toch mee naar ons liefdesnestje en laten we al die onzin die daar is gebeurd vergeten. Dat is allemaal verleden tijd. Ik bouw een toekomst met je die zo mooi en zonnig is dat het verleden onzichtbaar zal zijn in de schaduw!'

'Nooit zal ik ook maar één stap zetten in dat perverse huis,' zei ik. 'Het was mijn thuis al niet meer vanaf het moment dat ik erachter kwam waar jij mee bezig was. Wanneer gaat dat eindelijk eens tot dat verknipte brein van jou doordringen?'

Helmuts gezicht was donkerrood geworden. Hij keerde Johannes de rug toe en boog zich naar mij. 'Hoe kun je zo tegen me praten waar híj bij is?' bitste hij.

'Dan had je niet naar me toe moeten komen.'

Helmut wierp zijn handen in de lucht, sloot zijn ogen en greep zijn wiegende hoofd beet. Er kwamen huilgeluiden uit zijn keel.

'Ga weg en laat je opnemen.'

'Nooit!'

Mijn god, hier had ik geen tijd voor. Ik keek om me heen: er zat slechts één man achter de balie van de beveiliging en die was in gesprek met een vrouw. Waar was zijn collega? Waarom waren die mensen er nou nooit wanneer je ze nodig had?

Helmut haalde de handen van zijn hoofd en stak zijn armen naar me uit. Ik deinsde naar achteren. 'Het ligt aan mijn *Schwanz*, hè?' Hij had zijn ogen tot spleetjes geknepen. 'Je vindt hem te klein!'

Ik wierp een schuine blik op Johannes, die discreet de andere kant op keek en deed alsof hij het niet hoorde. 'Doe alsjeblieft normaal,' beet ik Helmut toe. 'Je zet jezelf enorm voor schut.'

'Dat maakt me niet uit! Iedereen mag weten hoeveel ik van je hou!' Hij stootte gebrul uit om zijn woorden kracht bij te zetten. Johannes schudde zijn hoofd. Een groepje kinderen van een jaar of twaalf liep met een grote boog om hem heen en keek verbijsterd naar Helmuts wanhopige gestalte. Eindelijk wandelde de vrouw die bij de beveiliging had gestaan weg, en de man keek onze kant op. Maar voordat hij naar ons toe kon komen of zijn collega kon oproepen, trok Helmut met een schreeuw zijn Superman-t-shirt omhoog. 'Hier! Het bewijs van mijn liefde!'

Ik voelde mijn mond openzakken. Op Helmuts borstkas, die van nature harig was maar nu was geschoren, prijkte een enorme tatoeage. Vlug wendde ik mijn blik ervan af.

Helmuts vochtige voorhoofd glansde, zijn ademhaling versnelde. 'Kijk er eens goed naar, Jill.'

'Doe je shirt naar beneden, gek.'

'Alleen als je eerst goed kijkt,' zei hij met trillende stem.

Met tegenzin deed ik wat er van me werd gevraagd. Ik bekeek zijn borstkas. De kersverse tatoeage glom en zat onder de korsten. Achter me hoorde ik Johannes slikken. En toen, tussen de korsten en de geschoren huid door, zag ik het ook. De glimmend rode inkt van het hart dat op zijn borst was geschilderd, de grote zwarte pijl die erdoorheen was geschoten. En mijn naam. Mijn naam die midden in het hart stond en me in radeloze hoofdletters toeschreeuwde. JILL. De misselijkheid sloeg zo acuut toe dat ik mijn hand voor mijn mond moest houden. Moeizaam slikte ik de zure smaak weg.

Helmut deed zijn shirt naar beneden en zakte met

veel gevoel voor pathetiek neer op één knie. 'Jillian Valens, wil je met me trouwen?'

Hij had inmiddels de aandacht van alle omstanders. Een oude vrouw met een rond brilletje op het puntje van haar neus en een stapeltje boeken onder haar arm beet gespannen op haar lip, en ook de andere aanwezigen keken afwachtend toe. De beveiligingsman was op zijn plek blijven zitten.

'Zeg ja!' riep een jongensstem.

'Wat romantisch,' verzuchtte een meisje.

Helmut zat nog steeds geknield en keek me met betraande ogen aan.

Ik schudde mijn hoofd en liep weg.

Er steeg gemompel op.

'Wat een arrogant kreng,' hoorde ik een vrouw met een plat Rotterdams accent zeggen. 'Denkt zeker dat ze iets beters kan krijgen.'

Ik keek om, Helmut zat er nog.

'Neem mij maar, hoor!' bood een rondborstige brunette zich giechelend aan.

Ik wendde me af en beklom de treden van de roltrap.

'Jill, alsjeblieft!' riep hij vertwijfeld. 'Jill!'

Maar ik hoorde hem niet. *Ik hoorde hem niet.* Als ik maar duidelijk genoeg tegen mezelf zei dat ik hem niet hoorde, dan hoorde ik hem niet. Ik zou zijn nepdrama negeren.

* * *

Op de eerste verdieping, waar een zware blikkerige stem uit een jukebox schalde en een onverstaanbaar gedicht ten gehore bracht, stapte ik de lift in en staarde door de glazen wand naar de kabels in de liftschacht ernaast. Ik haalde diep in en uit, en geleidelijk verdween Helmuts stem uit mijn hoofd. Het beeld van de wanhoop op zijn gezicht verdrong ik van mijn netvlies door een zakspiegeltje uit mijn tas te halen. Ik streek mijn haar glad, wreef het zweet van mijn voorhoofd en voelde me langzaam weer rustig worden. Vreemd eigenlijk, dat ik er precies hetzelfde uitzag als vóór vorige week. Op mijn gezicht was het verdriet niet zichtbaar; de pijn bestond alleen vanbinnen.

Dit is jouw kans om iets goeds te doen, had Johannes gezegd. De betekenis daarvan drong nu pas tot me door. Eindelijk viel alles op zijn plaats. Ik kon een leven redden, ik móést een leven redden nadat een ander leven door mijn schuld was beëindigd. Het was mijn taak, er was een reden voor mijn aanwezigheid precies op het moment dat Rebecca en Kevin ruzie kregen. Ik zou de cirkel rondmaken en de vloek verbreken. Ik en niemand anders. Rebecca zou blijven leven en daarmee zou ik de balans terugbrengen in de wereld, in míjn wereld. Ik moest deze goede daad verrichten.

Ik stopte het spiegeltje terug in mijn tas. Toen de

lift op de vierde verdieping zijn deuren opende en ik naar buiten stapte, was ik vastberaden.

Terwijl ik een rondje over de afdeling liep speurde ik zorgvuldig de omgeving af. Nergens zag ik een stelletje. Misschien op de vijfde verdieping.

Op de roltrap staarde ik naar buiten, de lucht was helderblauw. Het leek op de kleur van Helmuts T-shirt, dat hij zo hysterisch omhoog had getrokken om zijn vreselijke tatoeage te ontbloten. Zelfs bij de gedachte eraan huiverde ik. Waarom had hij mijn naam in zijn lichaam laten kerven? Zou dat zieke hoofd van hem werkelijk geloven dat het nog goed kon komen tussen ons? Dat ik hem ooit zou vergeven na alles wat hij de afgelopen maanden had gedaan, was ondenkbaar. En toch dacht hij blijkbaar echt dat er een kans was dat ik...

Mijn adem stokte. Ik greep beide kanten van de roltrapleuning vast. Mijn hoofd tolde van euforie. Dat was het! Ik had de oplossing! Hoe was het mogelijk dat we daar niet eerder aan hadden gedacht?

Helmut was de oplossing!

In minder dan een minuut was ik weer op de begane grond, waar ik Johannes aantrof op de plek waar ik hem samen met Helmut had achtergelaten.

'Waar is Helmut?' vroeg ik.

'Hij bevindt zich op de tweede verdieping.'

'De tweede?' vroeg ik verbaasd. 'Wat doet hij daar?'

'Toen ik hem er een paar minuten geleden zag, was hij neergeploft in de leeskuil in de kinderhoek. Huilend.'

'Huilend?'

Johannes knikte. 'Ja. Heel zacht, geluidloos bijna. Ik liep er toevallig langs. Ik zocht jou, maar toen ik je nergens zag besloot ik dat ik maar het beste terug kon gaan naar de plek waar we elkaar het laatst hadden gezien. Ik sta hier nog maar net.'

'En Helmut zit dus op de kinderafdeling.'

'Ja. Laat hem maar, hij zit daar goed. Hij lijkt gekalmeerd te zijn, hij heeft er een knuffelbeer gevonden of ander soort pluchen beest, ik kon het niet goed zien, en dat heeft hij tussen zijn armen geklemd.'

Ik trok mijn wenkbrauwen op van verbazing. 'Dat meen je niet.'

Johannes haalde zijn schouders op. 'Zo raar is dat niet. Het gaat erom dat hij jou even niet stoort. Jij hebt belangrijkere dingen aan je hoofd. Toch? Of ben je nog steeds van plan om het op te geven?'

Ik schudde mijn hoofd. 'Ik kom je iets geweldigs vertellen.'

We liepen weg uit de drukte van het roltrapverkeer en namen plaats op een van de zwarte stalen bankjes bij het grote schaakspel op de vloer. Het was er rustig, de schaakstukken hadden pauze en stonden roerloos. Op het bankje tegenover ons zat een man een krant te lezen. Vanuit Dik T weerklonk het geluid van bestek en borden, van pratende en lachende mensen die van hun diner en elkaars gezelschap genoten.

'Luister,' zei ik tegen Johannes. 'Net, terwijl ik op de roltrap stond, kreeg ik een briljante inval. Ik weet namelijk een manier waarop ik de vloek zelf kan verbreken. En dan bedoel ik niet door twee andere mensen iets te laten uitvoeren, maar ik bedoel dat ik het zelf kan doen!'

Johannes keek geïnteresseerd. 'Vertel.'

'Nou, eigenlijk is het heel simpel. Het enige wat ik hoef te doen is even naar boven gaan, Helmut vinden en hem een kus geven! We hebben immers ruzie, dus het is de perfecte oplossing: ik zoen Helmut en: voilà, de vloek is opgeheven!' Opgetogen keek ik Johannes aan en ik moest moeite doen om te blijven zitten. Dit plan zat geramd! Al dat omslachtige gedoe, met mensen die ik niet kende, verliefde stelletjes die boos op me waren; dat was allemaal niet nodig geweest als ik eerder op dit meesterlijke idee was gekomen. Al die tijd had de oplossing voor mijn neus gelopen, en nog had ik het over het hoofd gezien.

Maar Johannes schudde spijtig zijn hoofd. 'Ik ben bang dat dat niet gaat, Jill.'

'Hè? Begrijp je wel wat ik bedoel? Ik heb de oplossing gevonden!'

'Dat lijkt misschien zo, maar het werkt helaas niet,' zei hij bedroefd. 'De twee mensen om wie het gaat moeten namelijk echt verliefd zijn. Ze moeten warme, gepassioneerde gevoelens voor elkaar koesteren. En dat is niet bepaald een juiste omschrijving van jouw emoties ten opzichte van Helmut, als ik dat correct heb waargenomen. Sterker nog, ieder gevoel dat er ooit bij jou voor hem bestond, is volgens mij omgeslagen in iets negatiefs.'

Ik liet mijn hoofd hangen. 'Zo had ik het nog niet bekeken.'

'Het geeft niet,' zei Johannes. 'We vinden wel een andere manier. Maak je geen zorgen.'

'Wat heeft jou er eigenlijk toe gezet om jullie relatie te verbreken?' vroeg Johannes voorzichtig, nadat we beiden een tijdje zwijgend voor ons uit hadden gestaard. Het schaakspel stond nog steeds onaangeroerd.

Ik gromde. 'Dat ga je niet eens geloven als ik het je vertel. Het is zo'n absurd verhaal, het gaat ieder voorstellingsvermogen te boven.'

'Probeer het maar,' stelde Johannes voor.

Even twijfelde ik. Maar ach, hij mocht het best weten. Ik hoefde me nergens voor te schamen. Helmut was te ver gegaan.

'Goed dan.' Ik haalde diep adem en begon. 'Helmut en ik woonden samen. Hij was overdag op zijn werk, en ik werkte thuis omdat ik schrijfster ben. Op zich ging dat redelijk goed. Overdag waren we met onze eigen dingen bezig en 's avonds kwam hij thuis. Maar vorig jaar ging Helmut een beetje vreemd doen: hij belde me soms wel vijf keer per dag op om te kijken of ik wel thuis was en had er een gewoonte van gemaakt om op de meest onverwachte momenten ineens naar huis te komen. Toen ik liet merken dat ik zijn controlerende gedrag vervelend vond, hield het op. Maandenlang was er niets meer aan de hand en ik vergat bijna dat hij zo raar had gedaan. Hij belde me nog maar één keer per dag, in zijn lunchpauze, en bleef weer gewoon tot het einde van de dag op zijn werk.' Ik pauzeerde even. De verontwaardiging over het vervolg was nog zo vers dat ze nog nadreunde. 'Ik dacht dus dat alles in orde was, totdat ik erachter kwam wat er werkelijk aan de hand was.'

Johannes keek me aandachtig aan. 'Wat dan?'

De man tegenover ons, die een versleten aktetas naast zich op de bank had getrokken en er een broodtrommel uit haalde, keek naar ons op, en ik ging zachter praten. 'Ik ontdekte dat Helmut overal in huis zonder dat ik het wist webcams had opgehangen, zodat hij mij kon bespieden wanneer hij zelf niet thuis was.' Mijn bloed kookte weer bij de herinnering. 'Die dingen hingen echt overal, het is te afgrijselijk voor woorden. En dat was nog niet alles, hij had ook een apparaatje om mijn telefoongesprekken mee af te luisteren én hij had spyware op mijn laptop geïnstalleerd, zodat hij alles kon zien wat ik op de computer deed. Allemaal zonder dat ik

er ook maar iets vanaf wist. Het was een comple-
te inbreuk op iedere vorm van privacy die je maar
kunt bedenken.' Ik keek Johannes aan. 'En toen...'

Hij keek niet-begrijpend. 'Webcams?'

'Dat zijn een soort minicamera's,' legde ik uit, 'en
wat er dan wordt gefilmd kun je rechtstreeks bekijken op een computer.'

'Ah,' knikte hij. 'Dat verschijnsel kende ik nog
niet.'

Ik glimlachte. Het was op een bepaalde manier
vertederend dat uitgerekend Johannes, die alles leek
te weten, onbekend was met deze ontwikkeling.

De man tegenover ons had een bruine boterham
uit zijn lunchtrommel gehaald en nam een hap terwijl hij zijn gezicht naar ons toe gericht hield om te
verstaan wat wij zeiden.

'Je hebt er goed aan gedaan om een einde aan die
situatie te maken, Jill,' zei Johannes. 'Anders was het
van kwaad tot erger gegaan.'

'Dat weet ik. En eigenlijk had ik al een tijdje het
gevoel dat het niet goed meer ging, dat ik niet gelukkig was in die relatie. Hij was geobsedeerd, wilde
op ieder moment van de dag weten wat ik deed en
zelfs wat ik dacht. Iedere avond vroeg hij me wie ik
die dag allemaal had gesproken en waarover dan,
terwijl hij dat al dondersgoed wist omdat hij alles al
had gehoord of gelezen.'

'Hoe ben je daar uiteindelijk achter gekomen, als
ik vragen mag?'

Ik kleurde. 'Dat ligt nogal in de privésfeer.'

Johannes boog zijn hoofd. 'Vergeef me mijn nieuwsgierigheid.'

'O, het geeft niet,' zei ik. 'Eigenlijk kan ik het je best vertellen. Het is alleen een beetje persoonlijk misschien... Ik weet niet of je daar tegen kunt.'

'Na de nogal... eh... hartstochtelijke liefdesverklaring zojuist van jouw ex-vriend, heb ik om de een of andere reden het vermoeden dat ik niet zo snel meer geschokt zal zijn.'

We lachten hartelijk.

Ik wachtte even tot twee vrouwen van middelbare leeftijd, die geboeid naar de grote schaakstenen hadden staan kijken, waren doorgelopen. Toen vertelde ik Johannes over die vreselijke dag. De dag waarop ik had ontdekt waar Helmut zich al maanden mee had beziggehouden achter mijn rug om. Al had ik geruime tijd het gevoel gehad dat er iets niet helemaal klopte – ik had zelfs tegen Samantha opgemerkt dat het vreemd was dat Helmut soms op de hoogte was van dingen die hij eigenlijk niet kon weten – het kwartje viel pas op die schokkende avond.

Helmut was eerder van zijn werk thuisgekomen. Hij had een groot boeket rode rozen bij zich en verkeerde blijkbaar in een romantische stemming. Dat het mij al weken, maanden zelfs, niet meer lukte om zijn vochtige en hongerige kussen met overtuiging te beantwoorden, leek hem nooit te ontmoedigen.

Hij had niet door dat mijn gevoelens voor hem waren weggevloeid, alsof er ergens in mijn hart een gaatje was ontstaan waaruit mijn liefde was weggedruppeld. En als hij het wel aanvoelde, dan bracht zijn intuïtie hem er juist toe dat hij zijn gevoelens voortdurend benadrukte en mij er dusdanig mee belaadde dat ze me verstikten. Zijn mond op de mijne, die keren dat het me niet lukte om bijtijds weg te duiken, sneed mijn adem af, en zijn omhelzing voelde aan als een wurggreep.

Lichamelijk samenzijn, *bumsen* zoals Helmut het altijd grijnzend noemde, was een ongemakkelijke verplichting geworden waar ik zo vaak mogelijk onderuit probeerde te komen. Meestal was er wel een uitvlucht te bedenken. 's Avonds gebruikte ik het excuus dat ik in zo'n geweldige flow zat met schrijven dat ik echt niet kon stoppen. Op andere momenten leed ik aan bonkende hoofdpijn die iedere beweging onmogelijk maakte, een uitputtende vermoeidheid waardoor ik écht even moest gaan slapen, of ondraaglijke spierontsteking en dan vooral in het gebied rond mijn liezen. Ook had ik regelmatig last van extreme buikkrampen waardoor zelfs de kleinste aanraking al te veel was. Elke smoes werd ingezet, en meestal werkte het. Helmut droop af en ik probeerde me te bedenken hoe ik hem het beste kon vertellen dat we maar beter uit elkaar konden gaan. Zo gingen de dagen bijna ongemerkt voorbij. Tot aan het fatale moment waarop alles aan het licht kwam; een moment dat mij uiteindelijk mijn vrijheid zou teruggeven, maar dat in eerste instantie op rampzalige wijze zou escaleren.

Vanaf de eerste seconde dat Helmut die dag thuiskwam liep alles anders. In plaats van me op zijn gebruikelijke wijze te begroeten door bij me te komen staan en zijn voorlijke erectie hard tegen me aan te duwen, had hij me een knipoog gegeven en de bos rozen in mijn armen geduwd. Vervolgens was hij naar de slaapkamer gelopen, had zich uitgekleed en was naakt op bed gaan liggen.

Ik bleef in de deuropening staan met het boeket in mijn handen.

'Ik wil je,' kreunde Helmut vanaf het bed. 'Ik heb lang genoeg gewacht, Jill, ook ik heb mijn behoeftes! Jij bent mijn vriendin, en ik heb het recht om jouw zoete vrucht te proeven wanneer ik dat wil.'

'Je bent amper een minuut thuis!' had ik gereageerd. 'Het eten is nog niet eens klaar. Laten we eerst even—'

'Nee,' onderbrak hij me. 'Ik wíl niet meer wachten. Ik wil *bumsen*. Met jou. Nu.' Zijn stijve geslacht stond afwachtend overeind.

Ik deed een stap naar achteren. 'Helmut... Je timing is eigenlijk niet zo goed. Mijn menstruatie is vanmorgen begonnen, dus ik ben de komende dagen eventjes niet in staat om dit soort dingen met je te doen. Sorry.' Met een verontschuldigende blik had ik hem aangekeken, in afwachting van de vertrouwde teleurstelling die hij zo graag vol overgave tentoonspreidde wanneer ik hem afwees.

Maar dit keer reageerde hij anders. Hij was boos. Langzaam kwam hij overeind en ging op de rand van het bed zitten, zijn harige voeten op de grond. 'Je liegt,' zei hij op afgebeten toon.

Ik reageerde zo onschuldig mogelijk. 'Waarom zou ik daarover liegen? Ongesteld zijn is geen pret-je, hoor.'

'Jill, je bent niet ongesteld.' Zijn woorden klonken merkwaardig zelfverzekerd, terwijl hij onmogelijk kon weten dat ik loog.

Boos was ik de slaapkamer in gelopen en voor hem gaan staan. Luidkeels had ik gebluft: 'Moet ik mijn tampon er soms uithalen zodat je het kunt zien? Wil je het ruiken, zien, proeven? Ik ben nu eenmaal een vrouw, Helmut, en vrouwen menstru-eren zo nu en dan.'

Dat mijn menstruatie die maand helemaal niet zou komen – een dramatisch gevolg van een onver-kwikkelijk seksmoment een paar weken daarvoor terwijl ik sliep – wist ik toen nog niet. Daar kwam ik pas een paar dagen later achter, toen ik op de wc bij mijn ouders zat en een predictorstaafje in mijn handen hield waar langzaam een streepje op ver-scheen. Ik had gehuild, op het toilet. Mijn ouders, die op hun werk waren, hadden er geen idee van. Niemand had er een idee van. Ik had de test in een plastic tas gewikkeld en die buiten in de vuilcontainer gedumpt. Niemand mocht het weten. En ik kon mezelf wel voor mijn kop slaan dat ik zo dom was geweest om de pil tot twee keer toe te laat in te nemen.

'Nou?' vroeg ik aan Helmut. 'Wil je het zien? Of geloof je me?'

Maar Helmut had er genoeg van om avond na avond het ene na het andere voorwendsel aan te horen en was door zijn voorraad begrip heen. Zijn frustratie zorgde ervoor dat hij zichzelf verraadde. Met een rood hoofd stond hij op. 'Als jij beweert dat je vanmorgen ongesteld bent geworden, dan zit je glashard tegen mij te liegen.'

'En hoe denk jij dat zo zeker te weten?'

Hij liep rondjes door de slaapkamer, onverstaanbaar Duits tegen zichzelf mompelend. Zijn armen zwaaiden langs zijn naakte witte lichaam. Toen ging hij voor me staan. 'Goed, Jill, het kan me ook niet meer schelen. Als jij de waarheid wilt, dan kun je hem krijgen. Als het de enige manier is om een einde te maken aan jouw chronische bedrog, jouw voortdurende pogingen om een liefdevol moment met mij te vermijden, dan moet dat maar.'

'Is het nou echt nodig om zo moeilijk te doen alleen maar omdat ik geen zin in je heb?'

Die woorden kwamen hard aan, zag ik. Met een gepijnigde blik draaide hij zijn hoofd weg, maar direct daarna keek me weer recht in mijn ogen. 'Jill, ik weet alles,' zei hij. Hij sprak langzaam en duidelijk.

'Ik zie alles en ik hoor alles. En daarom weet ik dat je liegt over je zogenaamde menstruatie.'

'Wil je beweren dat je helderziend bent?'

Hij schudde zijn hoofd. 'Ik hou jou al een tijdje in de gaten, *Schatzi*. Een man dient te weten wat zijn *Liebling* allemaal uitspookt, dat is zijn goed recht. Want hoe kan ik weten wie jij allemaal spreekt en wat jij allemaal doet in al die lange uren van de dag dat ik niet bij je ben? Je kon hier wel de hele dag met Jan en alleman door de gang liggen rollebollen zonder dat ik het wist. Dat had meteen verklaard waarom je 's avonds geen energie meer kon opbrengen voor mij! Begrijp je dat?'

Ik staarde hem zwijgend aan.

'En daarom heb ik enige tijd geleden een paar maatregelen moeten nemen, Jill,' ging hij verder, 'zodat ik weet wat er allemaal gebeurt.'

Er schoot een siddering over mijn rug en ik werd koud, alsof ik degene was die zonder kleren stond. 'Pardon?'

'Je hebt het er helaas zelf naar gemaakt.' Zijn Duitse accent werd met ieder woord sterker. 'Als jij eerlijk tegen mij was geweest, dan had ik dit allemaal nooit hoeven doen. Dan was het niet nodig geweest. Maar je bent niet eerlijk tegen me.' Hij keek me strak aan.

Ik keek terug en wachtte tot hij verder ging. Er ging iets gebeuren, dat voelde ik. Hierna zou het tussen ons nooit meer hetzelfde zijn; waarschijnlijk zou het zelfs over zijn. En al lonkte er een opluchting bij dat vooruitzicht, de spanning om zijn biecht overheerste.

'En daarom heb ik webcams in huis geplaatst. Zodat ik het zelf kan zien.'

Mijn mond viel open. 'Niet waar.'

Hij keek volkomen ernstig. 'Je hebt het er zelf naar gemaakt.'

Ik liep de slaapkamer uit, de woonkamer in. Ik keek om me heen, boven me, naast me. 'Waar dan? Waar hangen die krengen?! Laat zien!'

Eén voor één had Helmut ze aangewezen. Drie in de woonkamer, boven in de hoek bij het plafond, zo klein dat ze vrijwel onzichtbaar waren als je niet wist dat ze er hingen. In de slaapkamer ook drie. Twee in de badkamer en één in de keuken. Trots wees hij ze aan en mijn afschuw groeide met iedere seconde.

Toen hij klaar was, stonden we tegenover elkaar in de gang.

'Dus op de wc hangt er ook één,' concludeerde ik. De walging bezorgde me een bittere smaak. Ik slikte en dwong mezelf om door te gaan. 'En daardoor wist je dat mijn menstruatie nog niet is begonnen.'

Ergens had ik nog de hoop dat het niet zo was. Dat Helmut me geschokt zou aankijken en zou zeggen: 'Maar Schatzi toch, waar zie je me voor aan? Ik begrijp dat ik te ver ben gegaan door het plaatsen van die cams, maar zelfs ík weet dat er bepaalde plekjes in huis zijn die gewoon privé dienen te blijven. Dat heb ik gerespecteerd, Jill.'

Maar in plaats daarvan knikte hij. Hij zei niets, verontschuldigde zich ook niet, brak niet los in een omslachtige uitleg waarom hij zich genoodzaakt had gevoeld om zelfs dáár iedere handeling die ik verrichtte te observeren. Niets van dat alles. Hij knikte alleen maar, en daar kon ik het mee doen.

'Hoe lang al?' was het enige wat ik nog wilde weten. De woorden klonken stroef, ze kwamen met moeite uit mijn keel.

'Een paar maanden,' verklaarde hij. 'Ik ontvang de beelden op de computer die op mijn werk staat.' Toen ik vloekend wegliep, volgde hij me. Hij liep achter me aan de slaapkamer weer in. 'Maar Jill, zo erg is het toch niet? Je bent mijn vriendin, het is de normaalste zaak van de wereld dat ik weet waar jij je de hele dag mee bezighoudt!'

Ik draaide me om. 'Ten eerste,' zei ik, nauwelijks nog in staat hem aan te kijken, 'is dat absoluut niet normaal. Het is ziek, krankzinnig en ronduit psychopathisch. Je kunt iemand niet zo bespioneren, op zelfs de meest intieme plaatsen en momenten, terwijl die persoon daar zelf geen weet van heeft.' Ik ging vlak voor hem staan. 'En ten tweede ben ik je vriendin niet meer. Het is over, Helmut, over, uit en afgelopen. Ik slaap vannacht bij mijn ouders en morgen kom ik mijn spullen halen en daarna zal ik hier nooit meer terugkomen.'

'*Nein!*' had hij gekrijst. 'Dat kan niet!'

Maar ik trok mijn sporttas onder het bed vandaan en stopte er vlug mijn laptop, toilettas en wat schone kleren in. Toen ik naar de gang liep om mijn jas van de kapstok te pakken en mijn schoenen aan te trekken, zag ik dat Helmut tegen de buitendeur stond. Naakt versperde hij de uitgang.

'Ga weg, Helmut,' zei ik langzaam.

Hij bleef staan.

'Wordt dit nu ook gefilmd?' Ik keek omhoog, achter mij, en zwaaide naar de cam die daar hing. 'Want dan kun je morgen op je gemak nog een keer bekijken waar mijn knie jou precies gaat raken.' Dreigend hief ik mijn been op en hij stapte snel opzij.

'Jill!' snikte hij. 'Zo kun je toch niet weggaan! *Jill!*'

Zonder verder nog wat te zeggen opende ik de voordeur en trok die met een klap achter me dicht.

Johannes had zwijgend zitten luisteren. 'Je hebt correct gehandeld,' zei hij. 'Die man heeft een gestoorde geest.'

Ik knikte. 'Een tijdje heb ik me afgevraagd of ik misschien te hard ben geweest voor hem, of ik wellicht iets milder had kunnen reageren, maar ik ben er gewoon zo enorm kwaad over!'

'En terecht,' vond Johannes. 'Hij probeerde controle te hebben over ieder aspect van jouw leven, tot in de kleinste details. Dat was vanzelf een keer fout gegaan, en beter nu dan later.'

'Over later gesproken...'

Tegelijk keken we op de grote klok die schuin achter ons hing. Volgens de wijzers restte ons niet veel tijd meer: over iets meer dan een uur zou het gebouw sluiten. Vreemd eigenlijk, dat een uur op dit moment een krap tijdsbestek leek, terwijl luttele minuten in een andere context eindeloos kunnen lijken. Er was een week voorbij sinds het moment waarop mijn baby en ik van elkaar werden gescheiden, en vanzelf zouden het binnenkort twee weken zijn, en dan een maand, een jaar. Op den duur zouden de krampen vervagen, zou ik er misschien niet eens meer aan denken. De leegte in mijn buik, de holle plek die ruimte bood aan fantoompijn, zou begroeid raken met littekenweefsel van de tijd die alle wonden heelt. Maar zover waren we nog niet. We leefden nú, en nu was het nog maar een week geleden dat het was gebeurd. Een week was ook de bedenktijd die de arts mij had gegeven. Of aan me had opgelegd, eigenlijk. Het was standaard, een zevendaagse periode van bezinning. Dan wisten ze zeker dat je er goed over had nagedacht. Wat de verplichte week uitstel vooral bevorderde, was de twijfel, alsof de beslissing niet al moeilijk genoeg was. Ik had toen gedacht dat mijn besluit het juiste was: ik was er immers nog helemaal niet aan toe om voor een kindje te zorgen; het koste me al de grootst mogelijke moeite te onthouden de planten op tijd water te geven. Bovendien wilde ik me eerst richten op mijn carrière, een solide oeuvre opbouwen, en dat ging niet lukken met een snotterende poepluier aan je rok. Maar de voornaamste reden was natuurlijk Helmut.

Ik had deze argumenten eindeloos herhaald in mijn hoofd en ze waren logisch en aannemelijk geweest, maar sinds het was gebeurd lukte het me niet meer om mezelf te overtuigen.

Ik stond op. 'Luister,' zei ik tegen Johannes. 'Ik ga even naar het toilet, en daarna komt alles goed. Op de valreep. Let maar op.'

Johannes glimlachte. Hij stond ook op. 'Zo mag ik het horen, Jill. Veel succes.'

Terwijl ik mijn handen waste bij de wasbak in het herentoilet – de damestoiletten waren nog steeds afgesloten – voelde ik dat ik Johannes geen loze belofte had gemaakt: het ging écht goed komen. Voor de eerste keer vandaag voelde ik me gedreven en vastberaden. De blamages van eerder waren vingeroefeningen geweest om me klaar te stomen voor het echte werk, en het ging me lukken.

Toen ik door het poortje de toiletten weer wilde verlaten, stond Helmut daar. Hij had een muntje in zijn handen en was blijkbaar net van plan om zelf naar binnen te gaan. Zijn ogen, die nog steeds rood waren, lichtten verrast op toen hij mij zag. 'Jill!'

Het poortje schoof open om me eruit te laten

maar ik bleef staan. Toen ook Helmut zich niet ver-
roerde schoten ze automatisch weer dicht.

'Waar is die oude man?' vroeg Helmut. 'Ik zag
jullie wel zitten, hoor, net, gezellig samen bij het
schaakspel. Hij heeft je geschaakt, hoe toepasselijk!'

Kalm veegde ik mijn nog vochtige handen af aan
mijn spijkerbroek. 'Helmut, als je wilt zal ik je vanavond bellen en dan kunnen we overal over praten,
maar dat aanbod geldt alleen als je nu onmiddellijk
weggaat.'

Het poortje ging weer open. Ik liep erdoorheen
en ging naast Helmut staan.

Zijn ogen begonnen te glanzen. 'Meen je dat? Bel
je me vanavond?'

Ik knikte. 'Ik beloof het. Maar nu ga je weg, want
ik ben met iets groots bezig, en daar kan ik gewoon
echt niet bij gestoord worden, anders mislukt het.'

De uitdrukking op zijn gezicht veranderde. 'Iets
groots,' herhaalde hij cynisch. 'Iets groots!' Zijn
ogen vernauwden zich en wrongen de hoopvolle
blik eruit. 'Bijna trapte ik erin, Jill. Bijna!'

'Luister, ik bel je vanavond, oké? Ik moet naar boven.'

'Denk je nu echt dat ik niet weet wat er werkelijk aan de hand is?!' ging hij verder. Zijn manie was
weer helemaal terug. 'Even dacht ik dat je eindelijk serieus en oprecht was, dat het rare gedoe van
vandaag misschien inderdaad iets met je werk had
te maken zoals je maar bleef volhouden, maar nú...

nee, nu heb je jezelf verraden. Ik weet eindelijk wat er gaande is, het mysterie is ontrafeld!'

Ik zuchtte en liep naar de roltrap.

'Iets groots!' slingerde hij achter me aan. 'Je bent met iets "groots" bezig?! Nou, ik ben niet gek, hoor! Zijn SCHWANZ! Zijn dikke grote *Schwanz*, dáár heb je het over! Nou, ik hoop dat je hem eraf bijt! Vandaag nog! En als ik ook maar een percentage van een procent minder van je zou houden dan ik doe, dan zou ik wensen dat je erin stikt!'

'En zo is dat!' riep een jongen met een leren jack en een kaalgeschoren hoofd, die ons grinnikend voorbijliep.

Ik keek achter me en zag de uitpuilende ogen in Helmuts rode gezicht, zijn mond die trilde van verbolgenheid. In een paar passen was hij bij me. Hij greep me bij mijn arm. 'Waarom verkies je zo'n smerige oude Viagra-viezerik boven mij? Het is een trap in mijn ballen! Blauwe ballen heb ik, Jill, blauwe en beschadigde ballen! Voor altijd!'

'Laat me los, Helmut,' zei ik kalm. 'Denk maar fijn wat je wilt en veel plezier ermee. Maar waar maak je je überhaupt nog druk om? Al dans ik naakt de polonaise met alle Viagra-*Schwanzen* op de wereld, dan nog gaat het jou niets meer aan. Dag.'

Zijn grip werd zwakker en ik trok mijn arm los. Terwijl ik met rechte rug wegliep en de roltrap op stapte, verdween zijn gejammer naar de achtergrond.

Toen ik omkeek zag ik nog net hoe de man van de beveiliging hem streng op de schouder tikte en naar de uitgang wees.

* * *

Er was nog steeds één verdieping waar ik niet was geweest, en dat was de bovenste. Die had weinig nut, omdat dat een soort studieruimte was waar totale stilte heerste. Een openbare ruzie was daar net zo onwaarschijnlijk als dat Helmut zich plotseling zou neerleggen bij het einde van onze relatie, om vervolgens vrijwillig af te reizen naar de dichtstbijzijnde psychiatrische inrichting.

Langzaam liep ik over de andere etages, maar overal was het rustig. Scholieren waren er op dit tijdstip bijna niet meer te vinden. Op de vijfde verdieping zag ik pas een koppel. Ik glimlachte toen ik ze herkende: het was het oude echtpaar weer. Ze hielden het hier lang uit. Misschien was het wel een maandelijks of zelfs wekelijks terugkerend uitje voor ze: een dagje naar de Centrale Bibliotheek. Terwijl ik over de verdieping slenterde keek ik af en toe hun kant op en voelde mijn glimlach breder worden. Die twee mensen waren waarschijnlijk al zo lang bij elkaar dat hun harten net als hun levens met elkaar waren vergroeid. Echte, oneindige liefde bestond nog.

Ik liep de verdieping drie keer rond en zag bij de verkeersboeken twee jongens hand in hand lopen, maar toch keerde ik terug naar de roltrap. De twee jongens waren weliswaar een stel, maar Johannes had nadrukkelijk gezegd dat het om een jongen en een meisje moest gaan, een man en een vrouw. En met het bejaarde stel, hoe vertederend ze ook waren, kon ik niets beginnen. Oude mensen maakten geen ruzie, en al helemaal niet in het openbaar. En een poging doen om toch een ruzie te veroorzaken was niet eens een optie: stel dat een van de twee er een hartstilstand door kreeg of iets dergelijks. Je wist op hun leeftijd maar nooit. Nee, ik moest verder. Weer naar beneden dan maar, misschien dat daar in de tussentijd nieuwe mensen waren gekomen bij wie ik het kon proberen.

Toen ik op de roltrap stapte en nog een keer omhoogkeek, gebeurde er iets onverwachts: de bejaarde man was opgestaan en ik kon nog net zien hoe hij met een rood hoofd bij zijn vrouw vandaan liep. Onderweg veegde hij met een driftig armgebaar wat boeken van een plank. Met een klap landden ze op de grond.

Ik ging op mijn tenen staan en strekte mijn nek om te kunnen zien wat de vrouw deed, maar de roltrap daalde af en ze verdween uit het zicht.

Een jonge donkerharige vrouw met een klein kindje aan de hand was een paar treden boven me op de roltrap komen staan en versperde me de weg naar boven. Ik zag de oude man achter haar verschijnen. Zijn gefronste wenkbrauwen drukten diepe groeven in zijn voorhoofd. Hij had zijn hand zo stevig om de leuning van de roltrap geklemd dat zijn knokkels wit zagen.

Sneller dan verwacht raakten mijn voeten het einde van de roltrap en ik stapte er vlug vanaf. Meteen ging ik met de andere roltrap weer naar boven, waar de oude vrouw nu alleen zat. Ze staarde in de richting waarin haar man was verdwenen. Ik liep op haar af.

Pas toen ik naast haar kwam staan, zag ze me. Nu ik haar goed kon bekijken leek ze kleiner en brozer dan eerst, maar haar verdrietige ogen stonden verrassend helder. Ik glimlachte voorzichtig. 'Ik zag uw man zojuist boos weglopen. Gaat het?'

Even dacht ik dat ze me niet had gehoord, toen zuchtte ze. 'Hij kan tegenwoordig zo onverwachts uit zijn slof schieten,' zei ze zachtjes. 'Het enige wat ik zei was dat het misschien beter was als we dit keer eens niet bij de oorlogsboeken zouden gaan kijken, want daar wil hij altijd maar rondsnuffelen, zie je, en erdoorheen bladeren, terwijl ik weet dat hij er dan later op de dag last van krijgt in zijn hoofd. Maar het leek wel alsof ik iets vreselijks voorstelde, want hij werd enorm boos. Hij liep verontwaardigd weg en hij... Ach, je hebt het immers zelf gezien.'

'Waar is hij dan nu naartoe?'

'O, daar hoef ik niet lang over na te denken,' zei ze. 'Die gaat weer naar zichzelf staren. In de spiegel. Daar durf ik wat om te verwedden, hij doet dat steeds. Soms wel een half uur. Staren, eindeloos staren, terwijl zijn lippen bewegen zonder dat er geluid uit zijn mond komt.' Ze gebaarde naar de stoel naast haar. 'Wil je zitten?' Toen ik zat glimlachte ze naar me. 'Je bent lief. Dat maak je tegenwoordig niet vaak meer mee, hoor, dat iemand begaan is met zijn medemens. Geloof dat maar.'

'Ik had jullie al een paar keer gezien vandaag,' vertelde ik. Toen ze knikte, voegde ik eraan toe: 'Het viel me op hoe gelukkig jullie eruit zagen. Daarom verbaasde het me dat u onenigheid kreeg.'

Ze zuchtte en streek met een fragiele hand door haar korte krullen. Aan haar vinger prijkte een ouderwetse gouden trouwring. Ze zag dat ik naar het sieraad keek. 'Frits draagt hem niet meer,' merkte ze op. 'Reuma. Zijn vingers waren te dik geworden, en toen hebben ze de ring doormidden moeten zagen om hem eraf te krijgen.'

'Zonde.'

'Ach, zo gaan die dingen. Maar ik draag die van mij nog wel en ik ben er nog steeds trots op!'

'Hebben jullie vaker zo'n meningsverschil?'

Ze keek me aan en knikte spijtig. 'Helaas wel. Vroeger nooit, hoor. En er valt ook echt geen lelijk woord over Frits te zeggen: hij is een goede man en hij is altijd een heel goede vader voor onze kinderen geweest. Er zit geen greintje kwaad in.' Ze zweeg even en er kroop een schaduw over haar gezicht. 'Maar de afgelopen jaren is hij niet meer helemaal zichzelf.'

'En u weet niet hoe dat komt?'

'Ja, dat weet ik wel.' Ze tuurde verdrietig voor zich

uit. 'Het is allemaal begonnen met de dood van Pim Fortuyn. Dat heeft hij niet kunnen verwerken, die schok was te groot.'

Verbaasd keek ik haar aan. 'Pim Fortuyn?'

Ze knikte. 'Ja, het klinkt misschien gek, maar hij zag Pim echt als de redder van ons land. In hem herkende hij de leider die wij volgens hem nodig hadden. Je had Frits moeten zien in de tijd van Pims grote successen, hij bloeide helemaal op. Hij ging ineens stropdassen dragen, dezelfde als Pim. De laatste plukjes grijs haar die hij nog op zijn hoofd had zitten schoor hij af, ook naar het voorbeeld van Pim. Hij lééfde voor die man, voor die partij.' Haar ogen waren vochtig. Uit haar tas diepte ze een ouderwetse katoenen zakdoek op, een blauwe met een grijs randje. Met dichtgeknepen ogen snoot ze haar verdriet eruit. 'Sorry,' zei ze. 'Het was niet mijn bedoeling om jou ermee lastig te vallen.'

Ik legde mijn hand op haar arm. 'Geeft helemaal niets, ik luister graag. Ik vind het naar voor u.'

'Je bent een schat,' zei ze. 'En jij bent de eerste met wie ik erover kan praten, weet je dat?'

'Het is vast heel moeilijk voor u.'

'Ach, ik moet niet overdrijven. Het zijn maar momenten, hij heeft er niet zo heel vaak last van. Eens in de drie, vier dagen, dan krijgt hij ineens een aanval. Maar berg je dan maar, want dan deugt er ook meteen helemaal niets meer van de wereld. Die aanvallen zijn hevig, hoor. Gelukkig duren ze altijd maar eventjes.'

'Maar wat doet u dan tijdens die aanvallen?'

'Niets... Ik laat hem gaan, want er valt toch niet met hem te praten. We krijgen ruzie, net zoals nu. Echt akelig vind ik dat. Maar daarna komt het altijd weer goed, en daar probeer ik dan maar aan te denken. En dan wacht ik.' Ze keek om zich heen. 'Ik weet niet of ik dit eigenlijk wel moet zeggen, maar het lucht zo op om eindelijk eens mijn hart uit te storten, dat ik het toch doe.' Ze dempte haar stem en boog haar gezicht wat dichter naar me toe. Haar kunstgebit was geel verkleurd, maar haar adem rook naar mint. 'Mijn man is ervan overtuigd dat hij, tijdens zo'n "aanval" zoals ik het maar eventjes noem, contact kan leggen met de geest van Pim. Hij gaat dan naar de wc, of als we thuis zijn naar de badkamer, want dat zijn volgens hem de enige ruimtes waar de ontvangst helder kan doorkomen, en dan praat hij met hem.'

'Hij praat met hem,' herhaalde ik.

Ze knikte. 'Ik heb al een paar keer voorgesteld dat hij misschien hulp nodig heeft, een dokter of zo, die hem bepaalde medicijnen kan geven om van die waanbeelden af te komen, maar hij wil er niets van horen. Hij gelooft er namelijk echt in en zegt dat ik hem niet begrijp.' Verontwaardigd zei ze: 'Hij zegt dat ik tussen hem en Pim probeer in te komen.'

Even waren we allebei stil.

'Maar waar heeft hij het dan over, met Pim?' vroeg ik.

Ze haalde haar schouders op. 'Hij wil nooit vertellen wat er in die gesprekken wordt gezegd. Dat is vertrouwelijk, volgens hem.' Zonder ernaar te kijken diepte ze een waaier op uit de bruinleren handtas die voor haar op tafel lag en vouwde hem open. Met vlugge korte bewegingen bracht ze zichzelf verkoeling toe. 'Mijn wappertje,' glimlachte ze. 'Ben ik enorm aan gehecht. Van mijn dochter gekregen. Ik ga echt nooit ergens heen zonder m'n wappertje, want soms kan ik het ineens zo vreselijk benauwd krijgen dat ik er gewoon eng van word.' Ze sloot haar ogen terwijl de koelte haar streelde.

'Maar, wacht,' zei ik, 'ik wil even zeker weten dat ik het allemaal goed begrijp. Uw man praat met Pim Fortuyn. Met de géést van Pim Fortuyn. Op het toilet.'

Ze opende haar ogen en keek meteen weer ernstig. 'Het klinkt absurd, ik weet het.'

'Maar is hij dat nu ook aan het doen dan, op dit moment?'

'Ik vermoed het wel. Nee, eigenlijk weet ik het zeker.' Ze stopte de waaier terug in haar tas. 'Wacht maar, je zult het wel zien wanneer hij terugkomt. Dan is hij weer helemaal gekalmeerd, alsof er niets aan de hand is.'

'Gelooft u hem?'

Ze dacht na, beet op haar lip. Toen stak ze haar

kin vooruit. 'Ik zal je dit vertellen: mijn man en ik zijn nu meer dan zestig jaar getrouwd, en ik heb in al die jaren nog nooit aan zijn woorden getwijfeld. Natuurlijk heb ik wel eens mijn bedenkingen gehad bij het een of het ander, maar dat is logisch. Dat heeft iedereen. Het belangrijkste is dat ik hem altijd heb geloofd. Want mijn Frits is geen leugenaar.'

'Natuurlijk niet.'

'En ik zal je nog wat zeggen.' Haar lip trilde en plotseling stonden er tranen in haar ogen. Ze haalde diep adem om haar beverige stem onder controle te krijgen. 'Ik hou heel veel van mijn man! We zijn kort na de oorlog getrouwd, in 1946. Samen met allemaal andere bruidsparen die dag, maar wij waren de enigen die een koetsje hadden. O, je had de mensen eens moeten zien kijken! Ik weet het nog als de dag van gisteren.' Er was een sprankeling in haar blik verschenen. Ze rechtte haar rug. 'Het was het begin van een heel gelukkig huwelijk. En zo'n onenigheidje als daarnet, nou, dat gaat vanzelf weer over. Ik heb er mee leren omgaan. Ik weet dat jullie jongelui tegenwoordig allemaal bij het minste of geringste maar voor een echtscheiding kiezen, of weet ik het wat voor gekke moderne dingen je tegenwoordig allemaal hebt, maar bij ons is dat anders. In onze tijd had je dat allemaal niet. Dan bleef je bij elkaar in voor- en tegenspoed, en als er eens iets was, dan zorgde je voor verzoening.'

Verzoening.

Verzoening!

Ik wilde knikken, maar het ging niet. Verstijfd zat ik in mijn stoel. Mijn hartslag ging tekeer en mijn gedachten bonkten tegen mijn schedel. Dit was het, dit was waar ik de hele middag al naar op zoek was geweest. Dit! Ze had het letterlijk gezegd: verzoening. Pas nu, voor de eerste keer in mijn hele leven, drong de ware betekenis van dat woord tot me door: ver-ZOEN-ing. Dit was een teken! Eindelijk had ik het juiste koppel gevonden, deze mensen waren de sleutel tot het verbreken van de vloek! Zíj zouden zorgen voor de zoen die alles ging veranderen, dit oude echtpaar, en niemand anders!

Voorzichtig pakte ik de hand van de vrouw. Ze liet het toe, en de hand, met een zachte huid zo droog dat het aanvoelde als leer, lag breekbaar in de mijne. De aderen lagen er verkreukeld op en werden opgesierd door levervlekken. Het was moeilijk voor te stellen dat deze hand ooit jong en sterk was geweest. Zacht zei ik: 'Weet u, mevrouw, het zou zo veel voor mij betekenen als ik zou mogen aanschouwen hoe u en uw man zich inderdaad met elkaar verzoenen. Dat jullie elkaar zo meteen een kus geven, hier, als teken van jullie liefde.'

Achter haar brillenglazen keek ze onthutst. 'Lieve kind, maar wij gaan zo dadelijk weer weg. Zodra Frits terugkomt, gaan wij naar huis.'

'Maar dan kunt u hem toch eerst even kussen?'

Ze keek nog steeds verbouwereerd. 'Nee, er wordt

hier niet gekust, hoor. Hoe kom je erbij? Dat is niet fatsoenlijk.'

'Alstublieft?' drong ik aan. Ik pakte haar hand wat steviger beet om een leugentje om bestwil in de strijd te gooien. 'Mijn grootouders zijn er niet meer,' zei ik bedroefd, 'al een paar jaar niet meer, en ik mis ze heel erg. Jullie doen me aan hen denken, dat is eigenlijk wat in eerste instantie mijn aandacht trok toen ik u vandaag met z'n tweeën zag. Want een on- voorwaardelijke liefde zoals u en uw man hebben, bestaat tegenwoordig bijna niet meer. Het zou zó veel voor mij betekenen als ik kon zien dat jullie het bijleggen. En u geeft dan meteen het goede voor- beeld aan de jonge generatie!'

Even dacht ze na. 'Is het echt zo belangrijk voor je?'

Ik knikte. 'Meer dan u beseft.'

'Tja, het zal misschien inderdaad geen kwaad kunnen, vermoed ik,' zei ze langzaam. 'Als er einde- lijk eens iemand het goede voorbeeld gaf, bedoel ik.'

'Juist! Precies! En wie kan dat nou beter dan jul- lie?'

Ze keek om zich heen. 'Maar... hier? Je moet we- ten dat wij volgens mij nog nooit in het openbaar zo... zo *vrij* zijn geweest, hoor. Zelfs niet toen we jong waren. Dat soort dingen deed je niet, dat hoor- de niet.'

'Het hoeft geen vrijpartij te worden,' zei ik. 'Een klein kusje is al genoeg.'

Ze giechelde, als een verlegen meisje van vijfen-
tachtig. 'Een vrijpartij! Frits ziet me al aankomen.'

Ik grinnikte.

'Vooruit dan,' zei ze toen. 'Ik vind het eigenlijk
wel spannend.'

'Dank u, dank u wel! Het betekent echt heel veel
voor me.'

Op haar ingevallen wangen was een blos verschenen. 'Dat ik zoiets nog mag meemaken op mijn
oude dag. Het lijkt wel een avontuur.'

'Een avontuur in de bibliotheek!'

'Ik heet Rita trouwens,' zei ze. 'Rita van Os. En je
hoeft echt geen mevrouw tegen mij te zeggen, hoor,
want ik heb het gevoel dat ik je ken. Je zou zo mijn
kleindochter kunnen zijn, die heeft ook altijd van
die gekke ideeën!'

Ik schudde de hand die nog steeds in de mijne
lag. 'Jill.'

Glimlachend drukte ze haar bril aan. Ze straalde
van pret. 'Dat weet ik. Ik had jou al lang herkend.'
Haar ogen twinkelden. 'Zeg eens, je gaat ons toch
niet gebruiken als personages voor een nieuw boek,
hè?'

Ik lachte met haar mee.

'Wij komen hier vaak,' vertelde ze. 'En we raken
nog altijd niet uitgekeken. Het is echt ongelooflijk
wat je hier allemaal kunt vinden. Waarschijnlijk
hebben we nog steeds niet alles ontdekt!'

'De bibliotheek is oneindig boeiend.'

'We kennen hier inmiddels helemaal de weg. En als we toch iets niet kunnen vinden, dan vragen we het aan de bibliothecaris. Die computers die bij de informatiepunten staan zijn niets voor ons. Met dat moderne spul kunnen we totaal niet overweg.' Ze lachte. 'Frits moet daar allemaal niets van hebben.'

Nadat er een goed kwartier was verstreken, begon de glimlach op Rita's gezicht weg te zakken in de rimpels rond haar mond. Ze richtte haar frêle lijf op uit de stoel. 'Ik ga maar eens kijken waar hij blijft.'

Maar ze had haar stoel nog niet aangeschoven of daar kwam Frits aangelopen. Zijn gezicht stond neutraal en zijn bewegingen waren inderdaad kalmer dan eerst. Hij liep naar zijn vrouw en legde een hand op haar schouder. 'Doe je jas maar aan, Rietje, we gaan.'

Rita wierp een vragende blik naar mij.

Ik tuitte mijn lippen ter herinnering.

En ze deed het. Met een glimlach op haar gezicht boog Rita zich naar haar man toe en plantte met een luide smak een royale kus op zijn dunne lippen.

Frits deinsde verbijsterd achteruit. 'Wat doe je?'

Rita keek gekwetst. 'Ik probeer je op te vrolijken, vent! Ik vind het niet fijn als je jezelf zo laat meeslepen.'

'Begin je nou weer?' Frits schudde zijn hoofd. 'Het is echt onvoorstelbaar! Dit heeft allemaal te maken met jouw jaloezie, Rita, omdat jij het niet kan hebben dat ik met Pim praat. Je had beloofd het te accepteren.'

Rita haalde diep adem. 'Ik bedoel alleen maar...'

Maar hij hoorde haar niet. 'En dat terwijl ik het je al zo vaak heb uitgelegd. Pimmetje was van het volk, hij was van ons allemaal! Hij—' Zijn stem stokte. Hij haalde een zakdoek uit zijn broekzak, dezelfde zakdoek als die van Rita maar dan lichtblauw, en terwijl hij met zijn ene hand de bril van zijn neus tilde, drukte hij met zijn andere hand de zakdoek tegen zijn ogen. Hij slikte. Met een rood aangelopen gezicht plaatste hij de bril terug en keek Rita aan. 'Heb je nu je zin?'

Rita's stem trilde. 'Ik weet toch hoeveel Pim voor je betekent. Daar heb ik het nu helemaal niet over.'

Kus hem dan, riep ik haar in gedachten toe. In 's hemelsnaam, kus hem écht, en nu goed!

Maar Rita's bravoure was verdwenen. Ze stond daar alleen maar, stil en tenger, de jonge ziel die had gegiecheld om ons plan had haar lichaam weer overgedragen aan het oude dametje.

Plotseling richtte Frits zijn blik op mij. 'En jij? Waarom sta jij daar?'

'Dit is Jill Valens,' zei Rita. 'De schrijfster, weet je wel?'

Hij schudde zijn hoofd. 'Nooit van gehoord. Wat doet ze hier?'

'Ik heb met haar zitten praten terwijl jij weg was,' legde Rita uit.

Frits kleurde terwijl hij naar me keek. 'Heeft ze over me zitten klagen?'

'Integendeel,' zei ik vriendelijk.

Even leek hij niet te weten wat hij moest zeggen. Hij keek naar Rita, die haar hand uitstak en hem teder over zijn wang streek. 'Alles is goed,' zei ze zachtjes.

Frits schudde zijn hoofd. 'Dat is niet waar,' fluisterde hij. 'En soms kan ik er gewoon niet meer tegen... De wereld, dit land. Waar gaat het heen?' Hij slikte. 'In de oorlog heb ik gevochten, begrijp je. Gevóchten voor mijn land. En nu... nu voel ik me er soms niet eens meer thuis. Maar denk maar niet dat iemand daar begrip voor kan opbrengen! Nee, denk dat maar niet!'

'Je schiet er niets mee op om je overal zo druk om te maken,' zei Rita nog steeds zacht. Ze wendde zich tot mij. 'Echt, hij windt zich overal over op. Op weg hiernaartoe liepen we heel eventjes over de markt. Nou kind, je wilt het niet weten: het was een aaneenschakeling van zuchten en steunen en kreunen. Ik dacht bijna dat hij uit elkaar ging ploffen. Dan weer liep er iemand voor zijn voeten en dan weer stootte iemand hem per ongeluk aan. Hij kan gewoon niets meer verdragen! Hij ziet de hele wereld als één groot complot en denkt dat iedereen tegen hem samenspant.'

'Je snapt het niet,' mompelde Frits. Hij schraapte zijn keel, drukte zijn bril steviger op zijn neus. 'Ik denk dat ik maar alleen naar huis ga.'

'Kom nou toch gewoon eens even zitten,' zei Rita plotseling scherp. 'We gaan zo direct gewoon samen naar huis, dus doe niet zo raar.'

Frits, die te verbaasd was over haar plotselinge felheid om ertegen in te gaan, kromde zijn oude rug terwijl hij de stoel naar achteren trok. Een zucht ontsnapte hem toen hij zich op de stoel liet zakken.

'Praat met Pim zo veel je maar wilt,' ging Rita verder. 'Dat moet je helemaal zelf weten. En lees je oorlogsboeken, ik zal je daar niet meer van proberen te weerhouden. We kunnen zelfs de tas met oude videobanden weer tevoorschijn halen thuis, hoe onverstandig me dat ook lijkt. Jij dacht dat ik ze aan je broer had gegeven, maar die wou ze niet hebben. Ik heb ze voor je bewaard, ze liggen in het berghok.' Ze hief haar vinger op toen hij zijn mond opendeed om te reageren. 'Maar begrijp nou eens dat het enige waar het mij om gaat is dat je niet telkens zo overstuur raakt! Je weet net zo goed als ik dat al die nervositeit bij jou tot migraine leidt, en voor je het weet lig je morgen weer de hele dag plat op bed met een ijskoude washand op je knar en een teiltje naast je op de grond. Dat weet je zelf toch ook?'

'Maar ik maak me helemaal niet druk,' protesteerde Frits zwakjes.

'Dat doe je wel, dat weet je best.' Haar blik verzachtte toen ze achter hem ging staan. 'Maar nu is alles weer goed.'

Frits knikte. Dit keer trilde zíjn onderlip.

Rita legde haar hand op zijn schouder. 'Nou, kom hier dan, man, en geef me een kus.'

Eindelijk!

Frits stond op.

En alsof zich een film voor mijn ogen afspeelde keek ik toe hoe twee oude hoofden, het ene met een geverfd permanentje en het andere kaal, zich naar elkaar toe bogen. Rita tuitte haar lippen en sloot haar ogen. Frits pakte haar gezicht liefdevol vast, met een vanzelfsprekendheid die alleen bestond tussen twee mensen die al decennia bij elkaar waren. Toen hun lippen elkaar raakten, sloot ik ook mijn ogen. Het magische moment was aangebroken.

Dit was het!

Maar er gebeurde niets.

Ik opende mijn ogen. Frits en Rita hadden hun armen om elkaar heengeslagen, maar verder zag alles er nog precies hetzelfde uit als vóór hun kus.

Was het wel gelukt?

Er ging een golf van teleurstelling door me heen. Maar was het niet logisch dat er niets viel te zien? Wat had ik dan verwacht? Dat er plotseling klokken zouden gaan luiden, dat Johannes zingend en dansend tussen de twee oude mensen in zou verschijnen om ze te bedanken? Dat de hele Centrale

Bibliotheek spontaan zou glinsteren in spotlicht?

Ik moest Johannes vinden. Híj zou me kunnen vertellen of de vloek inderdaad was verbroken.

Rita en Frits, die zich totaal niet bewust waren van het mogelijke effect van hun verzoening, glimlachten naar elkaar en trokken hun jas aan. Rita's witte blouse spande om haar boezem toen ze haar armen in de mouwen van haar mantel stak. Frits trok met een tevreden gezicht een sigaret tevoorschijn uit het pakje Pall Mall dat hij uit zijn borstzakje haalde en stak het ding achter zijn oor.

Stralend kwam Rita op me af. Nu we allebei stonden leek ze extra klein. 'Jill,' glimlachte ze. Haar fragiele armen sloten zich om me heen en ik omhelsde haar terug. Een paar seconden lang stonden we samen in een zoete nevel van Vanderbilt. 'Dank je,' fluisterde ze in mijn oor.

Ze liet me los en stak haar arm door die van haar man. Zo liepen ze weg, wars van haast, precies zoals ik ze uren geleden het gebouw had zien binnenkomen.

Op de roltrap draaide Rita zich om en zond me een knipoog.

Ik knipoogde terug.

**

Wist Johannes wat er was gebeurd? Had hij misschien vanaf een afstandje staan toekijken? En hoe zou het nu verder gaan? De vragen dansten door mijn hoofd terwijl ik de derde verdieping afspeurde op zoek naar de oude man. Als het nu eindelijk was gelukt om de vloek te verbreken, dan zou zowel Kevin als Rebecca blijven leven. Dankzij mij!

Maar Johannes was nergens te bekennen.

Waar hing hij uit? Het gebouw was langzaam aan het leegstromen, en door de intercom klonk de voor de late bezoekers vertrouwde vriendelijke vrouwenstem: 'Dames en heren, de bibliotheek gaat over enkele ogenblikken sluiten. Wilt u nu uw boeken, video's of cd-roms laten registeren? Wij wensen u een prettige avond en zien u graag binnenkort terug in de bibliotheek.'

Om me heen waren mensen bezig om boeken op de planken terug te zetten, en andere liepen met een stapeltje in hun hand naar beneden. Stoelen werden teruggeschoven, jassen werden aangetrokken, en bibliotheekpersoneel dat opgelucht op het horloge keek maakte de bureaus leeg en zette de computers uit. De laatste bezoekers liepen naar de roltrappen om zich naar de uitgang te begeven, en door de grote ramen viel te zien hoe de avondlucht langzaam de zon opslokte.

Toen ik Johannes op geen van de verdiepingen

had aangetroffen, ging ik naar de derde verdieping: naar de Erasmuszaal met Ysabella's afscheidsbrief. Misschien zou Johannes daar vanzelf opduiken als ik er bleef staan. Het was best mogelijk dat hij daar al eerder op me had staan wachten terwijl ik hem op een van de andere verdiepingen aan het zoeken was geweest.

Er was in dit gedeelte van de etage niemand meer aanwezig. Vanaf de lagere verdiepingen klonken nog wat stemmen, maar hier was het uitgestorven, en ik liep naar de glazen wand. Tijdens het wachten op Johannes keek ik naar de voorwerpen die erachter lagen geëtaleerd: de stukken over Erasmus, een paar historische boeken, de br—

Wacht.

Er klopte iets niet.

De zelfmoordbrief van Ysabella was verdwenen!

Had Johannes hem meegenomen? Maar hoe had hij dat kunnen doen? De deur naar de zaal zat op slot! Zou het personeel de brief naar een andere ruimte hebben verplaatst? Het leek volslagen onlogisch, maar het was toch de enige verklaring die ik kon bedenken. Wel was het erg vreemd: een paar uur geleden had de brief hier nog gehangen!

Met die gedachte schoot er een steek door mijn buik. Ook mijn baby was er het ene moment nog geweest en het volgende niet meer. Ik slikte. De leegte in mijn baarmoeder deed nog net zo veel pijn als eerder op de dag. Het had dus niet geholpen. De hoop die ik had gehad dat ik me beter zou voelen zodra de missie was geslaagd, dat het me op zijn minst zou helpen om te verdragen wat ik had gedaan zodat ik het misschien ooit zou kunnen verwerken, bleek vals te zijn geweest. Mijn geweten was niet gesust, je kon het ene leven niet compenseren met het andere.

Ik liet me neerzakken in een van de stoelen en drukte mijn handen tegen mijn gezicht. In de duisternis van mijn gesloten ogen kwam mijn verdriet eindelijk naar buiten, en langzaam werden mijn handpalmen klam en vervolgens nat. Was het dan echt allemaal voor niets geweest? De brief was weg, Johannes was verdwenen, de bibliotheek ging sluiten en boven op dat alles voelde ik me nog net zo ellendig als eerst. Wat had het allemaal voor nut gehad?

* * *

Hoe lang ik daar heb gezeten, wist ik niet. Een paar minuten, misschien langer. Maar toen ik mijn ogen weer opende zat ik niet langer in de stoel bij de Erasmuszaal, maar lag ik in bed.

In bed!

Hoe kwam ik hier?

Ik ging rechtop zitten, en een kort moment waren de schemerige contouren om me heen onbekend. Draaierig wreef ik in mijn ogen om de slaap weg te duwen. Toen keek ik nog een keer. Ik was in Eddy's logeerkamer. En volgens zijn digitale wekker op het nachtkastje was het tien uur 's ochtends.

Met een geeuw liet ik me achterover zakken, mijn hoofd viel op het kussen. Ik had iets gedroomd, iets vreemds. De herinnering bevond zich in mijn geheugen, helemaal achterin, in de tunnel van de slaap waar het met iedere wakende seconde verder de vergetelheid in zweefde. Er was iets met een oude man geweest, dat was alles wat ik me nog herinnerde.

Met nog plakkerige wimpers van de slaap staarde ik naar het plafond. Wat voor dag was het vandaag? Ik moest ergens heen, dat kon ik me wel herinneren. Ik had er gisteravond, voordat ik in slaap viel, aan liggen denken. Maar wat was het? Waar moest ik heen?

Vloekend herinnerde ik het me weer. De afspraak

in de kliniek was om half twee vanmiddag. Dé afspraak, de 'behandeling', zoals de telefoniste het zo netjes had verwoord, waar ik al de hele week tegenop zag.

Meteen zat ik rechtop in bed en was ik klaarwakker.

Mijn droom. Plotseling kon ik me er iets meer van herinneren. Met mijn hand streek ik over mijn buik. Ik sloeg het dekbed van me af en staarde naar mijn lichaam. Onwillekeurig glimlachte ik van dankbaarheid.

Ik stapte uit bed en trok mijn badjas aan. De deur van Eddy's slaapkamer was dicht, hij sliep nog. Met zware benen van de slaap liep ik naar de badkamer en ging voor de spiegelwand staan. Mijn haren hingen verward over mijn schouders en mijn ogen stonden troebel. Ik deed mijn badjas open en bekeek nog eens mijn buik. Er was niets te zien, maar toch zat er iets in, als een cadeautje dat nog moest worden uitgepakt.

Ik huilde. 'Je bent er echt nog,' fluisterde ik. 'Niemand heeft je uit me gehaald.'

Het was duidelijk wat me te doen stond. Met ferme stappen liep ik terug naar bed en haalde mijn mobiel onder het kussen vandaan. Resoluut selecteerde ik het telefoonnummer in mijn lijst met recente gesprekken en drukte op verbinden.

Mijn stem klonk vastberaden toen ik de afspraak afzegde.

'Gefeliciteerd met uw beslissing,' zei de telefoniste.

Toen ik ophing glimlachte ik. Mijn baby en ik gingen het redden samen. Wij met zijn tweetjes.

Onder de douche floot ik zachtjes. Ik had me in maanden niet zo goed gevoeld. Over een paar dagen zou ik de sleutel van mijn eigen huisje krijgen, een nieuw begin, en een van de kamers zou een babykamer worden. Nooit zou ik hem of haar vertellen wat er bijna was gebeurd. De gedachte dat ik zo dicht bij het verlies was gekomen, leek afkomstig uit een geschiedenis die nooit echt had plaatsgevonden. Het was een nachtmerrie geweest waaruit ik op tijd wakker was geworden. Mijn droom had me iets willen vertellen, het was een boodschap geweest. Het had me ervoor willen behoeden de grootste fout van mijn leven te maken.

Wat ik met Helmut moest doen, wist ik nog even niet. Hij had natuurlijk een bepaald recht om het te weten, dat besefte ik heus wel. Hij had toch de helft van het DNA geleverd. Maar het zou nog acht maanden duren voordat ze er was, er zou genoeg tijd zijn om het hem een keer rustig te vertellen. Wanneer ik hem had kunnen overhalen in therapie te gaan en hij was begonnen onze breuk te accepteren, bijvoorbeeld.

Voorlopig ging ik dit mooie geheim nog met helemaal niemand delen. Zelfs niet met Samantha.

In plaats daarvan zou ik de wetenschap in stilte met me meedragen zoals ik de baby zelf met me meedroeg, onzichtbaar van buiten maar voelbaar aanwezig vanbinnen.

Met gesloten ogen liet ik het lauwwarme water over me heen spoelen, en toen ik me afdroogde hield ik de handdoek zachtjes tegen mijn buik gedrukt. Alles was goed.

Drie korte hoge piepjes klonken uit mijn slaapkamer. Ik sloeg de handdoek om me heen en liep naar het bed.

De sms was van Samantha. 'Wat een dag!! Mijn sec is ziek en ik snak naar een lunch. Moet echt even weg uit dit gekkenhuis. 12.30 in Dik T?'

Met nog vochtige duimen van het warme douchewater sms'te ik een bevestigend antwoord.

**

Nadat Samantha zich na de lunch terug had gehaast naar haar werk, dwaalde ik nog even over de verschillende verdiepingen van de bibliotheek. Het was altijd prettig om hier te zijn, ik hield van dit gebouw.

In mijn droom had ik dit ook gevoeld, en door hier te zijn kwamen stukje bij beetje de ontbrekende fragmenten uit de rest van het slaapavontuur naar boven drijven. Bijna als in trance volgde ik de voetsporen van mijn nachtelijke zelf, en voordat ik het wist bevond ik me op de derde verdieping waar ik blindelings op de Erasmuszaal af liep.

Meteen herkende ik de glazen wand, die me tijdens mijn eerdere bezoekjes nooit was opgevallen, maar die er precies hetzelfde uitzag als in mijn droom, en langzaam wandelde ik ernaartoe. Ik ging voor het glas staan. Het zag er bekend uit. Het enige verschil was dat er op de plek waar in mijn droom de dramatische brief van Ysabella had geprijkt, nu een ingelijste pentekening van een oude man stond tentoongesteld.

Ik bestudeerde het portret.

En werd koud.

Ik sloot mijn ogen, wreef erin, en keek nogmaals naar de tekening. Ik duwde mijn haar achter mijn oren en boog zo ver naar voren dat mijn neus het glas raakte. Ja, het was hem echt. Hoe was het mogelijk?

Achter me kwam een jongen bij het kopieerapparaat staan. Geluiden van muntgeld dat in de machine werd gestopt en de klep die openging drongen vaag tot mijn gedachten door, maar ik hield mijn blik op het portret gericht.

Johannes Sluter, stond op het informatiekaartje ernaast. *1268-1349*. Mijn ogen gleden over de tekst. *Johannes Sluter was een zeer geliefde dominee die in de veertiende eeuw leefde in Rotterdam. Naast het houden van zijn kerkdiensten had Johannes Sluter een grote passie voor boeken. Met zijn inzet en enthousiasme om mensen de vaardigheid van lezen en schrijven bij te brengen was hij zijn tijd ver vooruit en werd hij onder zijn vele volgelingen zeer gewaardeerd. In 1349 overleed Johannes Sluter aan de gevolgen van de pest. Tijdens zijn ziekte is hij liefdevol verpleegd door zijn dochter Ysabella, die dienstbode was in het Gasthuis aan de Hoogstraat in Rotterdam.*

Voor de zekerheid las ik de tekst opnieuw, en toen nog een keer. 'Het is ons gelukt!' zei ik hardop. 'Ze heeft geen zelfmoord gepleegd.'

Ysabella was blijven leven! En Rebecca ook. Alles was teruggedraaid.

'Pardon?' klonk de jongen achter me. 'Heb je het tegen mij?'

Ik schudde mijn hoofd.

'Wie heeft er zelfmoord gepleegd?' vroeg hij.

Toen ik me naar hem omdraaide, voelde ik mijn ogen stralen. 'Niemand,' zei ik triomfantelijk. 'Helemaal niemand.'

Bij het verlaten van het bibliotheekgebouw botste ik bijna op tegen een bejaard echtpaar dat binnenkwam. Frits en Rita. Ik begroette ze verheugd.

Even keken ze me verwonderd aan, maar voordat ze iets konden zeggen was ik al langs hen heen geglipt en naar buiten gestapt. Daar sloot de zon mij in haar armen, en even bleef ik staan, mijn gezicht opgeheven naar de hemel. Ontwaken had nog nooit zo goed gevoeld.

Omringd door de warme stralen slenterde ik terug naar Eddy's flat. Daar klapte ik meteen mijn laptop open. Eindelijk begon ik te typen, de inspiratie brandde in mijn handen. Mijn vingers raasden over het toetsenbord en pauzeerden geen moment.

Mijn nieuwe boek zou *Ysabella* heten.

* * *

Vond je *Ysabella* ook zo'n leuk boek?

Laat het ons weten via info@xanderuitgevers.nl
en maak kans op een gesigneerd exemplaar
van *Zeemansbruid*, de nieuwe roman
van Judith Visser die in november verschijnt.

Of laat het Judith Visser zelf weten
via facebook www.facebook.com/judithvisser.nl
of twitter @missjuuddyy

In november 2012 verschijnt *Zeemansbruid*, de nieuwe roman van Judith Visser. Voor de lezers van *Ysabella* alvast een voorproefje uit deze uitdagende thriller.

Hoe ver gaat een man om te krijgen wat hij wil? Hoeveel vrouwen zal hij daarvoor inzetten? Bloedmooi, perfect geschapen en zonder weerwoord of kritiek. De hoofdpersoon van deze thriller heeft dit allemaal tot zijn beschikking en toch vindt hij geen bevrediging. Wat begint als gewone frustratie wordt een seksuele obsessie. En dan gaat hij nog verder en wordt hij de aanstichter van een wanstaltige moordpartij.

Maar wie is deze man, die de levenloze en naakte lichamen van de afgedankte vrouwen in de Rotterdamse straten achterlaat? En kan hij ongestoord zijn gang blijven gaan, of zal rechercheur Ursula Klein hem tegenhouden?

HIJ

Hij likte langs zijn lippen en keek om zich heen. Het leek wel een droom. Zo moest de hemel eruitzien. Dit was zijn hemel en hij was God!

Een voor een nam hij de dames in zich op en hij wreef in zijn handen. Vandaag was een bijzondere dag: voor het eerst waren ze er alle vier tegelijk. En het beloofde een waanzinnige avond te worden. Megan en Candy zaten naast elkaar op de bank, beiden met hun lange sierlijke benen over elkaar geslagen, en Hannah en Varysca zaten ieder in een fauteuil. Vier bloedmooie gezichten keken hem verleidelijk aan.

Zo beheerst mogelijk liep hij naar Hannah toe. Met haar getinte huid en lange zwarte haar was ze de meest exotische van het stel. Zijn hand trilde toen hij die naar haar uitstak. Even sloot hij zijn ogen en hij haalde diep adem. Hij moest rustig blijven, zichzelf beheersen. Dit moment was te mooi om te overhaasten, het was belangrijk dat hij iedere seconde intens beleefde. Hij had er niet voor niets zo lang op gewacht.

Zacht streelde hij de fluwelen binnenkant van Hannahs dij. Hij sidderde, ontplofte bijna van opwinding. Gewillig liet ze hem haar benen spreiden. Zijn ademhaling werd zwaarder, er parelden zweetdruppels op zijn voorhoofd. Hij knielde voor haar neer en duwde haar benen nog iets verder uit elkaar. Net als haar vriendinnen was Hannah volledig naakt. Zijn adem stokte toen haar schoonheid zich voor hem ontvouwde. Hij kreunde en moest zich beheersen haar niet te bespringen. In plaats daarvan staarde hij naar haar, terwijl ze wijdbeens voor hem zat en hem met een geamuseerde glimlach op haar gezicht zijn gang liet gaan. Haar lange lokken vielen over haar borsten, en hij duwde de donkere massa opzij om haar tepels te kunnen zien. Langzaam liet hij zijn handen naar beneden glijden, voorbij haar navel, haar onderbuik, naar de fluweelzachte opening tussen haar benen. Loom en schaamteloos liet ze hem haar knieën nog iets verder uit elkaar duwen. Toen bracht hij zijn mond naar haar toe.

Na een paar minuten richtte hij zich op, keek om zich heen. Vanaf de bank naast hem glimlachten Megan en Candy hem vriendelijk toe. Grommend van opwinding veegde hij het kwijl van zijn mond. Op de grond lag een kleurrijk hoopje lingerie. Megan, Candy, Hannah en Varysca waren vanavond zoals altijd gehuld geweest in verleidelijke outfits, maar hij had een paar maanden geleden tijdens hun eerste afspraakje al ontdekt dat ze al die opsmuk helemaal niet nodig hadden. Naakt waren ze op hun best, en hij zag geen enkele reden om hun schoonheid te verbergen.

Op de stoel tegenover hem keek Varysca hem uitdagend aan, wachtend op haar beurt. Hij keek van haar naar Hannah en naar de andere twee, en voelde zijn hartslag versnellen. En dat was toch ook niet gek? Dit was de natte droom van iedere man, en hij had het voor elkaar, hier, in zijn eigen fucking huiskamer! *Hugh Hefner, eat your heart out!*

Slechts één persoon ontbrak nog aan de perfectie van het gezelschap, daar was hij zich van bewust. Ze wisten het allemaal. Tussen Megan en Candy was een lege plek op de bank. Maar het gaf niet, het zou spoedig verholpen zijn.

Hij richtte zich weer tot Hannah en duwde hard en zonder waarschuwing een vinger bij haar naar binnen. Haar volle borsten bewogen zachtjes bij de abrupte beweging, haar glimlach bleef onveranderd. Hij trok zijn hand terug en knoopte zijn jeans los. Toen hij zijn boxershort afstroopte sprong zijn erectie tevoorschijn. Hij boog zich over Hannah heen om zijn mond op de hare te drukken. Haar volle, rode lippen waren iets geopend, en hij voelde haar tong tegen de zijne.

Zonder verder nog tijd te verspillen tilde hij haar benen op en drong bij haar naar binnen.

Megan, Candy en Varysca keken toe.

Een half uur later duwde hij Hannah gefrustreerd aan de kant. Haar haar zat verward en ze keek verwonderd. Met vlakke hand sloeg hij haar hard in het gezicht, en toen nog eens. Het was verdomme weer niet gelukt.

Weer niet!

Megan, Candy en Varyska verroerden zich niet en staarden met grote ogen voor zich uit. Hij negeerde hun blik. Wat begrepen zij ervan? Ze waren allemaal even nutteloos! Voorzichtig omvatte hij zijn pijnlijke balzak. Zijn sperma brandde, wilde eruit. Waarom gebeurde dat niet gewoon? Waarom was Hannah er voor de zoveelste keer in gefaald hem naar zijn hoogtepunt te brengen? Terwijl de avond zo veelbelovend was begonnen.

Zwetend liet hij zich tussen Megan en Candy op de bank zakken, zijn penis hing slap en onbevredigd tussen zijn benen. Door de transpiratie op zijn rug en bovenbenen plakte zijn huid aan de leren bekleding van de bank, maar de koelte was een verademing. Hij haalde diep adem, en toen nog eens. Hij sloeg zijn armen om de twee naakte vriendinnen heen. Het gaf niet, hield hij zichzelf voor. Hij moest de moed niet laten zakken. Natuurlijk was hij gedesillusioneerd, ja, zeker, maar er was nog hoop. En dat moest hij voor ogen houden. Want als Irma er was zou het goed komen. Met háár zou het wel lukken, en daarna, als zijn zaad maar eenmaal weer vloeide, zouden ook deze vier er weer in slagen hem net zo te plezieren als voorheen. Er zat een tijdelijke obstructie in zijn buis, dat was alles. En zodra die verholpen was, zou hij weer kunnen genieten.

Rustig stond hij op van de bank en raapte zijn kleding van de grond. Hannah lag nog op de plek waar hij haar had achtergelaten, haar benen uitnodigend gespreid voor een tweede kans. Hij wendde zijn blik af en stapte in zijn spijkerbroek.

Terwijl hij zijn T-shirt aantrok keek hij de kamer rond en fronste zijn wenkbrauwen. Hij had vanavond echt geloofd dat het feit dat hij voor het eerst alle vier de dames – zoals ze door het bureau werden genoemd – tegelijk op bezoek had, voldoende zou zijn om hem van zijn probleem af te helpen. Hij had zich er nota bene dagenlang op verheugd.

Lucinda, die hem door de telefoon met haar hese stem altijd sensueel maar zakelijk te woord stond, had in eerste instantie afwijzend op zijn verzoek gereageerd, maar uiteindelijk had ze ingestemd. In het verleden had ze hem al verteld dat er per klant niet meer dan twee dames tegelijk mochten worden geboekt, maar kom op, hij was natuurlijk niet zomaar een klant. Hij grinnikte, Lucinda wist net zo goed als hij dat hij al tijden een belangrijke bron van inkomsten was voor haar bedrijf. En dus werd er voor hem een uitzondering gemaakt.

Maar het had niet mogen baten.

Volledig aangekleed stond hij naast de naakte Hannah op de grond en keek op haar neer. Ze staarde omhoog, roerloos, in afwachting van zijn volgende stap. De teleurstelling stroomde zijn beschaamde lichaam weer in, en met een vloek liep hij van haar weg. Hij schopte tegen het hoopje lingerie en een paarse string vloog door de kamer. Waarom? Waarom lukte het hem niet? Het machtsgevoel over alle vier tegelijk te beschikken had ervoor moeten zorgen dat de opgestapelde lust zou ontladen, maar voor de derde keer deze maand was pijnlijk duidelijk geworden dat zelfs zij er niet meer in slaagden hem tot een hoogtepunt te brengen. Hun volmaaktheid ten spijt schoten ze tekort, er ontbrak iets.

Er ontbrak iemand.

Sinds hij had ingezien dat hij verliefd was op Irma had hij geweten dat zij het echte werk was, *the real deal*. En daar konden deze dames, hoeveel plezierige momenten hij het afgelopen jaar ook met ze had beleefd, simpelweg niet tegenop. En daarbij was Irma nog exclusief ook. Ze zou helemaal alleen van hem zijn, in tegenstelling tot deze vier *working girls*. Natuurlijk zou hij Hannah, Megan, Candy en Varyska niet zomaar uit zijn leven bannen, vanaf vanavond mochten ze bij hem blijven zolang ze dat wilden. Hij zou ze niet meer terugsturen. Ze zouden voor afwisseling zorgen, voorkomen dat hij en Irma in een sleur raakten. En dan zou hij nergens meer last van hebben, zijn lichaam zou weer naar behoren functioneren.

Ja, Irma was de oplossing.

Hij moest haar zien, meteen. Ze lag immers op hem te wachten.

Zonder nog naar zijn gezelschap om te kijken liep hij de kamer uit.

* * *

URSULA

Het had iets bijzonders, de vroege ochtend. Het was nog rustig op de Erasmusbrug. De Rotterdamse skyline had de nevel als een dekbed over haar oren getrokken. De stad ontwaakte langzaam terwijl de eerste zonnestralen weerkaatsten op het rimpelige water van de Maas. Enkele vroege automobilisten reden op deze woensdag langs ons heen op weg naar hun werk. Sommige herkenden ons misschien omdat Dorian en ik iedere dag om dezelfde tijd onze vaste jogroute aflegden. In de anderhalf jaar dat ik als rechercheur werkte hadden we, behalve wanneer ik piket had en 's nachts doorwerkte, nog geen ochtend overgeslagen. Door de continudiensten die ik als straatagent had gedraaid was het daarvoor niet mogelijk geweest, maar ons dagelijkse rondje trimmen was inmiddels een onmisbare methode geworden om de dag energiek te beginnen. De route was simpel: vanaf mijn flat aan de Laan op Zuid de Erasmusbrug over, en terug.

Dorian rende fit als altijd naast me, al waren zijn anders zo heldere ogen vandaag nog klein van de slaap. En hij had zich niet geschoren, zag ik, wat hij normaal gesproken nooit oversloeg. Toen een sterke windvlaag ons halverwege de brug tegengas bood kreunde hij luid.

'Kom op,' riep ik plagend, 'je bent aan het sjokken als een oude man! Wie is hier de gymleraar?'

Met een grimas versnelde Dorian zijn pas.

'Laat geworden gisteravond?' vroeg ik.

'Dat gaat je niks aan.'

Ik schoot in de lach. 'Ja dus. Was het een geslaagde date?'

Dorian jogde zwijgend verder en keek naar een kolonie meeuwen die krijsend opstoof van het water.

Ik wapperde met mijn hand voor zijn gezicht. 'Hallo! Gisteren vertel je me vanuit het niets dat je al weken, nee, máánden naar deze date hebt uitgekeken, terwijl ik niet eens wist dat er een dame in het spel was, en nu het achter de rug is zeg je niets. Dat kan niet!'

Hij knikte. 'Er komt een moment waarop ik het je allemaal zal vertellen,' beloofde hij. 'Maar nu nog niet. Het is nog te pril.'

'Kom op, je vertelt me altijd alles!'

'Deze keer niet.'

'Maar was het wel een leuke avond?' probeerde ik nog. 'Of was het een ramp en zie je er daarom zo verrot uit?'

Er verscheen een kuiltje in zijn wang. 'Het was allesbehalve een ramp. Ik ben zelfs bij haar blijven slapen.'

'Wauw! Wat doe je dan hier, man? Je eerste les is pas om elf uur, je had bij haar moeten blijven!'

'Heb ik ooit een ochtend overgeslagen?'

'Nee, dat niet, maar—'

'Daar kan ze dan maar beter vanaf het begin alvast aan wennen. Wat moet er van een docent lichamelijke opvoeding terechtkomen als hij zijn conditie laat verslonzen?'

'Het lijkt me dat je de afgelopen nacht voldoende aan je conditie hebt gewerkt...'

We naderden het einde van de brug en staken over naar de andere kant, waar we terugjogden in de richting van het Wilhelminaplein. Op de gevel van het Nieuwe Luxor Theater, dat in de verte al zichtbaar was, werd een musicalpremière groot aangekondigd.

'Hoe gaat het eigenlijk met jou en Jeff?' vroeg Dorian.

Ik keek hem verbaasd aan. 'Hoe bedoel je?'

'Alsof je dat niet weet.'

Ik plukte een lok haar die uit mijn vlecht was ontsnapt van mijn wang en stopte hem geagiteerd achter mijn oor. 'Er is niets tussen Jeff en mij, dat heb ik je al honderd keer gezegd.'

'Wat niet is kan nog komen... Ik heb gezien hoe jullie naar elkaar kijken!'

'Hou alsjeblieft op.' Weer besefte ik dat het stom was geweest om Dorian vorige week uit te nodigen om samen met Jeff en mij iets te drinken in Paddy Murphy's. Jeff en ik kwamen daar 's avonds graag om even te ontspannen en het werk los te laten, verder niets. Maar dat had ik Dorian niet aan zijn verstand kunnen peuteren. Hij wilde met eigen ogen zien wie nu toch die nieuwe collega was met wie ik opeens zo veel avonden in de Ierse pub doorbracht, en hij had niet gerust voordat ik had beloofd dat hij ook een keer mocht komen. Sindsdien kon hij helaas niet over Jeff ophouden.

'Raak ik een gevoelige snaar?' vroeg hij grijnzend.

'Dat mocht je willen. Jeff en ik zijn collega's, en dat is alles. En trouwens, ik vraag toch ook niet waar jij tegenwoordig iedere avond zo geheimzinnig mee bezig bent?'

Dorian reageerde niet.

'Je hebt je vrienden al weken niet gezien omdat je avond na avond verdiept bent in iets waarover je mij blijkbaar niets wilt vertellen,' ging ik verder. 'En het heeft ongetwijfeld met je nieuwe liefde te maken, dat begrijp ik inmiddels wel, maar waarom vertel je me niet gewoon wat er aan de hand is?'

'Ik kan dat niet "gewoon" vertellen, omdat het geen gewone situatie is, Urs.' Van opzij keek hij me fronsend aan. 'Ik vertel het je als ik er klaar voor ben, goed? Ja, ik ben verliefd, dat mag je weten. Na vannacht bestaat daar geen twijfel meer over. Maar ze is niet zoals andere vrouwen, snap je, ze is bijzonder. En ik wil daar voorzichtig mee omgaan.'

Het was serieus.

'Weet je wat?' zie ik. 'Ik zal er even niet meer naar

vragen, maar alleen als jij dan ook ophoudt over Jeff.'

Dorian knikte tevreden. 'Deal.'

Terwijl we naar huis jogden verschenen er steeds meer fietsers op de weg en kwam om ons heen het verkeer langzaam op gang. Vroege metroreizigers haastten zich het station Wilhelminaplein in en uit, en de voorbijrijdende trams begonnen voller te raken.

Nadat Dorian in zijn auto was gestapt en was weggereden, liep ik de hal van mijn appartementencomplex in, die na het joggen altijd extra koel leek. Ik wreef over mijn armen en begroette een buurvrouw die uit de lift stapte. Toen sprintte ik de trappen op naar de zesde verdieping, een goede afsluiter van mijn work-out.

Binnen schopte ik mijn schoenen uit en stroopte in de badkamer mijn trainingsbroek af. Jeff en ik hadden deze hele week dagdienst, zodat ik genoeg tijd had om op mijn gemak te douchen en me om te kleden voordat ik naar het bureau ging.

Onder de douche dacht ik aan Dorians opmerking. Hij had gelijk, ik bracht veel tijd door met Jeff, maar wat betreft de motivatie daarvoor had hij het mis. Nu hij zelf verliefd was dacht hij meteen dat er bij iedereen vlinders fladderden, maar ik had ze niet. Tussen Jeff en mij bloeide een vriendschap op, niet meer en niet minder, en dat was prima, dat was goed. Geen van beiden hadden we behoefte aan meer, Jeff al helemaal niet. Ik wist dat zijn vrouw zelfmoord had gepleegd, en al wilde hij er niet over praten, het was duidelijk dat het aan hem vrat. Wat zou anders de reden zijn om zich zo rigoureus vanuit Amsterdam te laten overplaatsen naar district Rotterdam Rijnmond? Het moest ondraaglijk zwaar zijn geweest om in Amsterdam te leven in een ruïne van herinneringen.

Dorian wist dat niet.

Dorian. Ik glimlachte bij de herinnering aan zijn ogen die vanmorgen, ondanks de vermoeidheid die er in schuilgingen, letterlijk hadden gestraald. Mijn kleine broertje. Verliefd.

Wie had dat ooit gedacht.

* * *

HIJ

Hij vermeed Irma's blik. De angst die uit haar ogen puilde had hem geïrriteerd. Haar ogen waren zo wijd opengesperd dat de gesprongen aderen in het witte gedeelte goed zichtbaar waren, en dat terwijl hij haar nadrukkelijk had verteld dat ze niet bang hoefde te zijn. Hij wist immers wat hij deed, bij hem was ze in goede handen. Bovendien hoorde ze hier thuis, ze zou vanaf dit moment voor altijd onderdeel zijn van zijn besloten wereld. En dat was toch mooi? Maar de tranen die in haar blauwe ogen flikkerden terwijl ze zijn bewegingen volgde, ergerden hem. Ze zou vereerd moeten zijn dat hij haar had uitverkoren voor zijn bijzondere project, voor zijn meesterwerk, en niet als een ondankbaar kind een domper op die vreugde zetten!

Na een paar minuten vielen haar ogen eindelijk dicht. Naakt lag ze op de tafel, bewegingloos dankzij de spierverslapper die hij haar had ingespoten. De oude zooi die zijn vader had achtergelaten was hem toch nog van pas gekomen, bedacht hij triomfantelijk. Verlangend streek hij door haar lange blonde haar. Zo meteen zou hij haar nog een keer de curare toedienen, deze keer in een dosis die ook haar grootste spier lam zou leggen: haar hart.

Alles verliep volmaakt volgens plan.

Zeemansbruid van Judith Visser verschijnt in november 2012.